# 誰も教えてくれない
# 男の礼儀作法

小笠原敬承斎



光文社新書

# 序章　なぜ「武士の礼法」が成立したのか

## つい先代まであった、年長者を敬うこころがまえ

昨今では首を傾げたくなるような行動を取る人を目にする。

たとえば、目上の方の前で扇子を全開にして扇いだり、目上の方からためになるお話を伺《うかが》ったあとに、「とても参考になりました」とお礼をお伝えしたつもりになっていたり、挨拶の最中に忙《せわ》しなく何度もお辞儀をしたりしていないだろうか。

こうした言動はすべて礼法の心得に反しているのだ。しかし、そのことに気づいていない人がほとんどである。

日本人として、この状況を時代の変化によるものだとして諦《あきら》め、見過ごしてもいいのだろうか。

男性は女性と比べ、礼儀作法を改めて教わる機会がなかなかないかもしれない。特に若年層は礼儀正しく振る舞いたいと思ってみても、まず見本が少ないだろう。

そこで、上司や取引先、部下などとのつき合い、さらにはプライベートでの大切な場で、

自分の行動に自信がないためにゆとりなく過ごすのではなく、一度、礼儀作法の真髄にふれることによって、そのこころと振る舞いを身につけてみてはいかがだろうか。

ところで、小笠原流礼法は、約七〇〇年前の室町時代に確立した武家の礼法である。つまり、「男」のために生まれた礼法であった。

本書では、いままで誰も教えてくれなかった「男の礼儀作法」について、代々受け継がれて来た古文書をひもといて記してみた。先代が礼法を伝え始めるまで「お止め流」（門外不出）とされていた古文書からの抜粋を、一般の方々に対して、ここまで公開するのは初めての試みである。

依然として、武士の生きざまに対する憧れの声は変わることがない。当時の武士たちと比べて、現代人の規律の欠如や精神的な弱さは周知の事実だろう。だが、逆に、その「欠如感」が時代をさかのぼって、武士への関心を呼び起こしているように思う。

さて、武士までさかのぼらなくとも、先代の時代の社会や家庭は、周囲を慮《おもんぱか》るこころのゆとりがあったように思う。そのときの規律や人々のこころがまえを、現代の人々のちからでもう一度蘇《よみがえ》らせていただきたいのだ。

昔の家庭では、祖父や父親が席についてお箸を取り上げるまで、食事を始めることなどは考えられなかった。

先代や祖母からも幼少の頃の話を聞くたび、当時は父親の存在がどれだけ大きかったのだろうと思う。家庭において、曽祖父の権力は絶大だったらしく、曽祖父の吸う葉巻の香りがすると、こどもたちの間には緊張した空気が漂ったらしい。年長者を敬うこころがまえというものが、家庭で自然と育まれていたのである。

祖母によると、当時は親とこどもたちの部屋が大変離れていて、姉弟とけんかをしたり悪いことをした場合には、それを家庭教師が親に伝え、それからこどもは親の部屋へと呼ばれたのだという。

幼いときは気が短くてかんしゃくもちといわれていた祖母は、大抵の場合、その短気が原因で叱られたらしい。祖母がかしこまって座っていると、曽祖母から絹糸のかたまり（祖母いわく、縫い物の残り糸を丸めた、糸くずのかたまり）を渡されたうえ、

「これをきれいにお解きなさい」

といわれ、しぶしぶと作業に取り掛かったというのだ。

なにしろ気が短かったことがお叱りの原因となる祖母にとって、糸くずを一本一本ほどい

ていく作業は、うんざりするお仕置きだった。だが、大きな紫檀《したん》の机のうえに、青、赤、黄色、紫、白……と一本ずつ糸がきれいに並べられると、さきほどまでは文句を並べていたところが、いつの間にかさわやかになって自然と笑顔を取り戻すことができ、その様子を見た曽祖母からは「行ってよろしい」といわれて、こども部屋へと戻ったという。

祖母は、私が小学生だった頃、そのときの心境の変化を、笑いながら、懐かしそうに話して聞かせてくれた。

糸を解く側も、解くようにと命じた側も、双方ともに根気がなくては務まらないお仕置きである。このように、こどもを叱るさいに、ことば数は少なかったとしても、親が真剣に、ゆったりとしたこころで子育てをすることが当然とされた、良き時代があったはずだ。

その頃と比べ、核家族化が進むだけでなく、親や祖父母となる世代の人々も、同じマンションの住人に対して、エレベーターの中やエントランスでの挨拶すら希薄になっている昨今である。長幼の区別に基礎をおき、その中で敬うこころを育んでいた礼儀作法を、そのままのかたちで受け入れることは難しいのかもしれない。

## 武士はなぜ礼法を必要としたか

では、かたちをかえてみればよいのではないだろうか。

現代社会においても、人が生きていくうえでは、好むと好まざるとにかかわらず、周囲との人間関係に適応する必要がある。人と人とが互いに協力し合い、社会生活を円滑に送るためには、それぞれに規律を守る責任がある。

そのように社会における規律の必要性を感じたのは、武士も同様であった。なぜなら、鎌倉から室町へと時代が流れるにつれ、戦力や武力を磨くのみならず、人間関係をより円滑で強固にするためにも、礼法が必要だったから、といえよう。

現代では、武士の活躍した時代よりも遥《はる》かに、人々を取り囲む環境やものが豊かになったのにもかかわらず、最低限守るべき作法やマナーが身についていない人、つまり常識に欠ける人が増加傾向にあるのは、誠に残念である。

そこで、本書を通じて、なぜ武士たちの手によって礼儀作法が確立され、それらを後生《こうせい》に残そうと努めたのかを、武士の心得を通じて理解していただきたいと思う。それにより、自ずと礼儀作法の真髄が見え、現代に活かす意義を感じていただくことができるのではないだろうか。

室町時代に確立された武家の礼法である小笠原流に伝わる教えを交えながら、まずは小笠原流の沿革を通じて、礼法の意義に触れていきたい。

## 小笠原流礼法の沿革

小笠原氏は、清和天皇の流れを汲む源氏の系統である。源氏の祖である経基王《つねもと》は清和天皇の孫にあたり、その子孫には八幡太郎義家《はちまんたろうよしいえ》もいるのだが、その義家の弟である新羅三郎義光《しんらさぶろうよしみつ》が、武田氏や佐竹氏などとともに小笠原氏も属する甲斐《かい》源氏の始祖にあたる。

義光の曽孫である加賀美次郎遠光《とおみつ》は、高倉天皇のとき、宮中の紫宸殿《ししんでん》上に怪しい光があわれて人々を害そうとしたさいに召し出され、弓を放って追い払ったという。文治元年（一一八五）の後鳥羽院による平家追討での手柄によって重用された。

その子、長清（応保二～仁治三）は源頼朝に仕えたといわれ、初めてその姓を名乗り、小笠原氏の始祖となった。長清は弓馬にすぐれ、「小笠原系図」には、二六歳で頼朝の弓馬師範となり、弓馬等の儀式を執行したと述べられている。長清が住んだ甲斐《かい》国《こく》巨摩《こま》郡《ぐん》小笠原荘は、現在の南アルプス市にあたる。

その後、小笠原流中興の祖といわれている貞宗（永仁二～貞和三）により、礼法が加わった。貞宗は、後醍醐天皇より、「小笠原は日本武士の定式《じょうしき》（決まったやりかた・ルール）たるべし」との御手判《おてはん》を賜《たまわ》り、さらに「王」の字を家紋として賜った。しかしながら、王の字をそのまま使用することに遠慮したため、それを象徴化した三階菱《さんがいびし》を家紋としたのである。

貞宗四世後の長秀（貞治五～応永三二）の時代になると、足利三代将軍義満の命によって、今川氏、伊勢氏とともに、武士の一般教養を目指したといわれる『三議一統《さんぎいっとう》』の編纂《へんさん》が行われた。これが、のちに小笠原といえば礼法、という基盤をつくったと考えられる。

ちなみに序文には、「世上の進退起居動静《しんたいききょどうせい》の躾《しつけ》の極まる所を鹿苑院《ろくおんいん》義満、昇殿《しょうでん》の御家人御一族の中に其旨《そのむね》を総記して進上のやからに観賞有べきのよし、仰《おお》せ下さると雖《いえど》も厚学の輩《やから》なし」とある。つまり、鹿苑院義満は、世の中の礼儀の極意を、御家人や御一族にまとめさせようとし、「この世の中の礼儀の極意を全て書き記して持ってきた者に対し、褒美《ほうび》をあげよう」とおっしゃったのだが、わきまえた人はいなかった。そこで、今川氏、伊勢氏、小笠原の三氏によって『三議一統』が編纂されたのである。

『三議一統』の詳しい標題は、『当家（足利家、さかのぼれば源氏）弓法躾之抄《きゅうほうしつけのしょう》三議一統』である。

供奉《ぐぶ》（行幸や祭礼のときにお供に加わること）の仕方、食事の作法、書状の書き方、さらには首のあらため方などという生々しいことが書かれているかと思えば、公家の文化を意識したからであろう、蹴鞠《けまり》に関する心得まで取り上げられており、いわば武士の百科全書的なものともいえる。

その後、『三議一統』以来加えられた今川家、伊勢家に伝わる故実《こじつ》（儀式・作法などの決まりや習わし）を組み入れて小笠原流礼法の整序に努めてまとめられた「小笠原礼書七冊」は、長時（永正十一〜天正十一）と貞慶《さだよし》（天文十五〜文禄四）の時代に戦国の戦乱の中で研究されたことが、貞慶より秀政（永禄十二〜元和元）に伝えられたものである。

長時から貞慶への礼法の稽古があったさい、そばにいた人には長袴《ながばかま》の膝が抜ける音が聞こえたほど、厳しい伝授が行われていたという。この七冊は、『元服之次第』、『万躾方《よろずしつけかた》之次第』、『通《かよい》之次第』、『酌之次第』、『請取渡《うけとりわたし》之次第』、『書礼法上（書礼之次第）』、『書礼法下（書礼之次第）』という構成である。

七冊は、「天正本」といって天正に書かれたもののほか、慶長に書かれたものもあるのだが、慶長本の裏書きには、「……末代の形見となし、つぶさに記しおき候。いささかも他見あるまじきものなり」と結ばれ、秘事を漏らさないよう戒めがつけ加えられているところがおもしろいと思う。

本書では、この七冊からの抜粋を、いまの男性たちにも通じる「武士の心得」として取り上げ、紹介している。

**秩序に自我を対立させるより、自己を合わせていく礼法**

さて、司馬遼太郎氏がドナルド・キーン氏と交した対談『日本人と日本文化』（一九七二年刊、中公新書）によると、「室町時代に室町大名の一軒だった小笠原家が、わけのわからないものをつくった。結婚のときにお結納《ゆいのう》を持っていきますという。……（中略）それは原理的なものでなくて、瑣末《さまつ》主義でがんじがらめにやったので、これは儒教原理とは関係ないものです」とある。

司馬氏は、日本に儒教やそのモラルが採りいれられると、その本質が変化してしまう一例としてこのように語られているのだが、室町時代、一般的な武士程度の教養や発想のレベルでは、公家の教養や禅僧の考えをそのまま理解したり求めたりすることは難しかったと思われる。

司馬氏は、「要するに無意味なお作法を室町幕府がつくりだして、これでたいへん荒ぶる大名をおとなしくさせたわけでしょう」とも論じている。たしかに、室町時代の礼法は、幕府の体制に適応させるための処世術的な要素があったことを否定できない。だがそれも、個性の強い武士たちをまとめていくためには、必要なことであったであろうし、教養を身につけることは決して悪いことではなかったと思う。

はじめの一念を捨てて真実の道理を相互に求めて自らわれと悟り知るべきとなり。
雅意《がい》（我意）にまかせ我こころをほん（本）とし候わんずる人は例えば道理を知り候とも理なる人とは申し候わで難を負うなり

と伝書に説かれている。我意を通そうとすると、いくら道理を知っている人だといっても道理に適《かな》った人とはいえず非難される、ということである。

このように、道理として求める目標が高いところにおかれておらず、武士の教養の程度から、特別な才覚を必要とせずに、道理と非道理で論をすすめていることが、伝書からも察することができる。さらに、はじめの一念を捨てて、相手と真実の道理を互いに求めあうこと、つまり我意をおさえて相手と接していくこころ遣いが礼儀作法の根底をつくり上げていくのである。

この時代の礼法は、統一された宗教、儒教といった普遍的真理を基準としてまとめられているとはいえない。むしろ、神、仏、儒教の教えは、どれもありがたいものと肯定し、その権威を礼法のうえにかりてきたともいえよう。権威に自我を対立させることよりも、それを肯定したうえで、その中に自己を合わせていこうとしたのである。それは、生きる知恵であったともいえよう。

秀政が嫡男忠脩《ただなが》とともに戦死をすると、その功もあって豊前小倉藩主となった秀政の三男忠真《ただざね》（慶長元〜寛文七）は、剣客宮本武蔵を武術師範として迎え入れたのだが、その宮本武蔵が残したことばに「仏神を敬い、仏神に頼らず」とある。

神仏を敬う気持ちがあるということは、こころが平穏で他への思いやりを持つことに通ずるわけであるから、こうした気持ちを育むことは大切だと思う。

当時の封建制度下において、主君や主家の権力は絶対であったわけで、礼法の基本的概念も、秩序に適応させることが根本にあったと考えられる。

## 「お作法」が「礼法」として伝えられた時代

封建制度でがんじがらめになった江戸時代と比べ、室町時代の礼法には柔軟な考え方がうかがえるが、のちに江戸時代になると、儒教の教えと武士の生き方が「武士道」というかたちを生んでいく。

さらに、江戸時代になって経済の実権が商人にゆだねられ発展していったことが、礼法に大きな影響を及ぼす。「お止め流」、「一子相伝《いっしそうでん》」として奥義《おうぎ》を余人に伝えることのなかった礼法であったが、町人に実力がつくにしたがって、格式のある礼法を学びたいという要望が高まったのだ。

それにともない、巷《ちまた》には、小笠原流と称して礼法らしきものを教授する者が出現した。こうした人々は、質実剛健で合理的であった礼法の真髄を理解することなく、難しくて堅苦しい「お作法」を「礼法」として伝えていったのである。


明治時代以降もこの流れは変わらず、女学校の作法教育などに取りいれられた。その結果、「畳のへりは踏んではいけない」というような、かたちばかりに拘泥《こうでい》したものが礼法であるかのようにして、一般に流布されてしまった。

貴族院議員で国勢院総裁などを務めていた私の曽祖父、長幹《ながよし》の時代までは、代々伝承されてきた礼法が一般に教授されることはなかった。ゆえに、礼法は堅苦しいものという誤解が解かれる術《すべ》はなかったのだ。

また、戦後の一時期は、封建的な道徳を助長するものとして礼法教育への批判が高まり、日本人が本来持っていたはずの「相手を大切に思うこころ」は、人々のこころから失くされていく一方だったのであろう。

## 本来の礼法の普及に努めた先代

こうしたことを憂え、先代の小笠原忠統《ただむね》は、「一人でも多くの方に真の礼法を理解していただきたい」という思いにより、広く礼法の普及活動に努めたのである。真の礼法とは、「こころ」と「かたち」から成り立つ。

「こころ」とは、相手を大切に思うこころである。

「かたち」とは、そのこころを行動によって表すことである。つまり、「作法」は「かたち」である。

「こころ」と「かたち」、どちらが先かといえば、もちろん「こころ」である。

「かたち」が身につくと「こころ」も身につく、などともいわれるが、私はそうは思わない。「かたち」を追い求める人は、どこまでいっても「かたち」にばかり囚われがちである。しかしながら、「こころ」を大切にする人が「かたち」を身につけると、自然で美しい立ち居振る舞いができるようになる。

いいかえるならば、相手や周囲の人々に対する、自己の内面から発せられる真摯《しんし》なこころ遣いが、美しい立ち居振る舞いとあいまって日常生活が満たされるときこそ、礼法はその究極に到達するのである。

「こうでなければならない」などと、かたちにばかり拘《こだわ》る礼法など存在しない。時・場所・状況に応じて変化する「かたち」でなければ、相手を大切にすることなどできないからである。だからこそ、今後、ますます加速することが予想される価値観の変動や多様化する生活様式のなかで、古来伝えられた作法やしきたりといったものをそのままのかたちで用いてはならない。

「なぜその作法が存在するのか」という理由をしっかりと理解し、自分なりに咀嚼《そしやく》することが大切なのだ。

つまり、各々のライフスタイルに必要な礼法とは、決まりきった一つの答えが存在するのではなくて、それぞれの状況に応じた的確な判断能力と、それに応じた立ち居振る舞いからなる。

## 「かたち」はいつも流動的であれ――相手を思う「こころ」こそが礼

その一例ともなるのだが、先代がテレビ番組の収録に出かけるさい、お供をしたときのことである。撮影の合間にお弁当を食べることがあったのだが、そのときの立ち居振る舞いは今でも鮮明に覚えている。

当初は楽屋へ戻って昼食を取るのかと思っていたのだが、まったくその素振りはなく、自ら周囲のスタッフの方々のもとに向かい、輪になるように並んでお弁当を食べていた。そばでその光景を見ている私は、一瞬、胸がドキッとした。なぜならば、あまりにもカジュアルな食べ方をしていたからである。その先代の振る舞いを見て、周囲の方々は安心された様子で、楽しい雰囲気が作り出されながら昼食の時間は過ぎていった。

その後、楽屋に戻ってから先代は私に、次のように語り始めた。

「最初、あまりにも作法を省略した食べ方をしているから驚いたであろう。しかしながら、もしも私がいつものように作法に準じてお弁当を食べたら、周りの人は堅苦しい気持ちになるばかりだとは思わないか？　大抵は小笠原流礼法の宗家と、好んでお箸を使いながらの食事をしたいという発想はないだろう。だからこそ、カジュアルな雰囲気をつくることが大切だったのだよ。ただし、一つだけ、崩さなかったことがある。それは何かわかるかね?」

との問いに、私はしばらくの間、沈黙を続けた。

「箸先だよ。箸先だけは汚れを最小限にとどめておくことを守った。たとえカジュアルな場であっても、汚い箸先が誰かの目に止まったときには、不快感を与えかねない」

と、その場の雰囲気を察し、的確な判断を基とする礼の省略について教えてくれた日のことは、今でも忘れることができない。

また、その教えから、すべての作法の根底に流れている「こころ」は、時代が変化しても相手を大切に思う気持ちであることに変わりはないことを、確信することができた。

いつの時代においても、相手を大切に思う「こころ」が存在することに変わりはなく、「かたち」は時・場所・状況に応じて流動的でなければならない。

ものが豊かになった時代だからこそ、人と人とのコミュニケーションが大切に思える。だからこそ、普遍的な「こころ」と流動的な「かたち」を現代の生活に活用していただきたいと切に願う。

## 男性のなかで高まる「礼法」へのニーズ

礼法は、主に女性が必要とするものだと考えられる傾向にある。だが、前述の如く、武士の社会、つまり男性社会で確立されたものである。それを知ってか知らぬか、そこは定かではないのだが、最近は男性の門弟が増えてきている。

男性は、男性特有の「直線的な美」を通じて、凛々《りり》しい印象を作り出すことができる。一方、女性は、女性特有の「曲線の美」を通じて、優雅な印象を作り出すことができる。男女ともに、それぞれにしか持つことのできない、それぞれの美しい振る舞いに、一つの空間で触れることができたときなどは、大変嬉しい気持ちになる。

それと同時に、なぜ現代では、男性特有の美しい所作を身につけることや、多くの武士に見ることのできた強いこころを鍛えることに、積極的ではないのだろうかとも考えてしまう。

今まで、伝書の多くは、門下の者、しかもある程度の年月を学んだ者しか学ぶことができなかった。しかし、このような思いから、一般の方々にも伝書の教えを公開することによって、武士の生きざまやこころがけを感じ取っていただくことが必要なのではないか、と思うようになった次第である。

日本人として、また一人の男性として、先人たちによって磨き、守り受け継がれてきた礼法の「こころ」と「かたち」を身につけ、臨機応変に自然で美しい立ち居振る舞いができるようになっていただきたい。そしてそのことによって、さらに充実した人生を過ごしていただけるのではないだろうか。

本書『誰も教えてくれない 男の礼儀作法』を通じて、〝男の儀〟を身につけていただければ幸いである。

# 目次

## 第3章　男の席　74

編集協力・久本勢津子（CUE'S OFFICE）

# 第1章　男のこころ

## 「分際にしたがい徳を諸人にほどこすべし」――身の程に応じた振る舞いとは

武士が生きた時代と現代とを比べたときに、大きく違うことの一つに、封建社会における強固な主従関係をあげることができよう。まさに、「御恩と奉公」の世界であるが、主君が臣下へ与える恩恵に関して、伝書には次のように記されている。

**人は大かた高きもいやしきも人のために辛苦をするならいなり。国をもち所領をもち候**

人は人民のため天下のためにこころをつくしぞんずべし。惣じて身にそうたほど分際《ぶんざい》にしたがい徳を諸人にほどこすべし

と、ある。さらに続けて、

ほしいままに人をなやまし身のためばかり思うことを仏神のにくまれ給うゆえについにあしきなり

とも書かれている。

身分にかかわらず、他者への思いやりやいたわりのこころを持つことは大切であり、さらに自分の利益ばかりに重きを置くのではなく、自分の分際にしたがって、周囲に対してこころを尽くした行動が重要である、という意味だ。

現代でたとえると、会社を経営する立場にある人は、目先にある自分の利益ばかりに囚われるのではなく、社員、株主、さらには社会にとって良い結果がもたらされるよう、努力を惜しまず、でき得る限りのことを尽くすべきである、ということであろう。

経営者というのは、たとえそれが部下のミスであったとしても、その責任を負う立場である。それが、昨今では経営者の潔さや責任感に欠けた言動を耳にすることや目にすることが、以前と比べて増えてきたように思う。

このような「上の立場にある者の潔さ」に通ずる話を、以前、先代から聞いたことがある。曽祖母は、その叔父が「昭和まで生きた最後の大名」といわれた浅野長勲《あさのながこと》だったため、その当時、聞いたいくつかの殿様時代の話を先代や祖母に伝えたという。

ある日、大名の食膳に虫の死骸が入っていたことがあった。しかし、もしも大名がそれに気がついた素振りを周囲に見せようものなら、料理を作った人は切腹をする騒ぎとなってしまうので、そのようなときは無理をしてでもご飯と一緒に飲み込んでしまったそうである。現代において、トップに立つ人のどれほどが、このような潔い行動をとっているのかは疑問である。

さらに、冒頭の、「人は大かた……」の伝書の一説は、それぞれの分際の程度によって（それは仕事の能力のみならず、社会人としてのこころのあり方や考え方などの常識的観点からも）、その人の社会的立場も決定されるべきである、という意も込められているように思う。

また、伝書にはつぎのようなことも説かれている。


人は身の程よりも過分に振舞う事然るべからず。末重きものはかならず折るるといえり。

上をかろしめおのれをさきとするたぐいもっともあるべからず

つまり、たとえ身分が高かったとしても、驕《おご》ってしまう態度を取ることや、上司や年配の人への配慮を失くして自分ばかりを大切にすることは慎むべきことであった。

伝書にはこのような年配の人に対するこころ遣いとして、

若き人　年寄りを押しのけ御前などに差し出で候事　見憎《みにく》う候間　我より下手の人なりとも年寄りたるをば敬いたるが見よく候

とも記されている。

また、室町期の封建制度下においては、己《おのれ》の分際を知り、それを表明し続けることは、武士たちにとって自己の存続に繋《つな》がったといえよう。

たとえば、

**富貴の家にいたずらに財多く貯えて人にほどこさざらんは思いても無きことなり**

と、経済的に豊かな人への心得もあり、分に応じて他人にほどこすことが説かれている。日本特有の知足《ちそく》（分相応のところで満足すること）の考え方を明らかにしているともいえよう。

誰からも尊敬される人ほど、控えめで周囲に対するこころ遣いが感じられるものである。そのような人は、少しでも自賛・自慢をしてしまった瞬間から、己の魅力がどれ程までに低下してしまうのか、ということを、無意識のうちに理解しているのだと思う。

経済的に豊かな人が「お金は天下のまわりもの」と、贅沢に溺れることよりも、むしろ周囲に対して生きたお金の使い方をされている姿を拝見すると、こちらまで豊かな気持ちになる。そのようなこころがけで過ごしている人の生きざまは、格好よく見えるものであるし、昔から尊敬されてきたのではないだろうか。

自分の分際にしたがい、与えられた環境の中で精一杯生きること、さらには年配者や上の立場の人に対して、あるいは年少者や下の立場の人に対する敬意を忘れることなく、周囲との協調性を育みながら社会生活を送る大切さを、当時の武士から学び、そのこころがけを日々の暮らしに取り入れたいものである。

**「前きらめきを慎む」――自分の能力や個性を人前で得意げに見せない**

小笠原流にはいくつかの教え歌があるのだが、その代表的なものが次の一文である。

**無躾《ぶしつけ》は目《め》に立《た》たぬかは躾《しつけ》とて目《め》に立《た》つならばそれも無躾《ぶしつけ》**

しつけが身についていない人の振る舞いが目立ってしまうことと同様、周囲の目を意識しすぎた振る舞いもまた目に立ち、かえって周囲に対して無躾である、ということ。つまり、自分には作法の知識があるのだとひけらかすことは、作法を知らないことと同じく、非礼に通じる。

また、自分だけを目立たせるという意味で、「前きらめき」という表現も伝書に用いられている。

たとえば、

主人の御気に合い候わんとするはわろし。さ候えば如何なる不思議をも申し入れ又そつじある事を仰せらるるをも同心申し　また前きらめきなる事をも申し候えば人も憎み候

とある。上司に媚《こ》びへつらい、納得のできないことをも受け入れてしまうのはいかがなものであるか、また「そつじあること」、つまり間違っている、あるいは無礼と思われる理不尽なことにさえも同心してしまい、自分ばかりを引き立たせるような言動があるような人は、周囲からよく思われるはずがない、ということである。

だが、たとえ納得のいかないことであったとしても、それをどのタイミングで上司に伝えるのか、ということには注意が必要である。特に外部の人が同席している場において、上司に諫言《かんげん》するなど、もってのほかである。

さらに、前きらめきの同義語には「理発だて」、「利根《りこん》だて」などがあり、これらを用いて、

慎みに欠けた行動を戒めている箇所がいくつかある。

奉公し候人さのみ利根《りこん》だてなるもしかるべからず

理発を表へたつれば人のにくみをうけて害をあおぐ基なり

利根なる人は入りすぎたる事あり

どれも、「主人の御気に合い候わんとするはわろし……」と同様に、自分の能力や個性を人前で得意気に見せびらかしてしまうこと、あるいは行き過ぎた行動は、周囲から反発を受けたり、周囲との和を乱す可能性があるため、軽はずみな行動は慎むようにと戒めている。自分の能力をあからさまにアピールすることは、その結果、社会性の欠如した人と見なされるというのは、今も昔も同じである。

これらの伝書の箇所を違った角度から読むと、さも利口そうな顔をすることは控えたほうが賢明であるとも考えられる。

理発で聡明な人でも、一見するとどこか頼りないというか、完璧ではなく、隙《すき》があると思われるくらいのほうが好感を持たれやすいということだ。

企業のトップとして、第一線で活躍されているのにもかかわらず、一見おっとりした印象をお持ちの方もいらっしゃる。だが、そのような方に仕事の相談にのっていただくと、わかりやすい説明とともに的確なアドバイスをいただくことが多いように思う。

実際に強い精神力をお持ちの方だからこそ、あえてその強さを前面に出されないのかもしれない。それゆえに、人としての温かみや親近感を周囲に与え、さらには周囲の人々から信頼され、慕《した》われる存在になっているのではないだろうか。

「前きらめき」を武士が嫌った背景には、慎みのなかにこそある男らしい精神を重んじていたことがあるのではないかと思う。

真に強い男性こそ、その強さは内に秘められているのである。

## 「目に立たずに時宜を得る」――マニュアルを超えた先にあるもの

マニュアルと聞くと、機器の操作や取り扱い方法の説明書、あるいは作業の指示書などを思い浮かべる方が多いのではないだろうか。

また、マニュアル化というと、手順ばかりに重きが置かれ、そこには人のこころの温かさなどが感じられないと思う方もいらっしゃるであろう。

確かに、サービスをする側から、決められた状況設定の中に少々無理をしてでも客をあてはめようとするサービスが提供されると、客の側としては不快に思うことがある。たとえ丁寧な応対がマニュアルに定められているとしても、すべての状況においてマニュアル通りにサービスを提供することは、ただ単にサービスの押し付けになりかねないのである。


こうしたことを考えるたびに、小学校の頃だったたか、祖母とレストランで食事をしているさい、何度か同じ話を聞いた記憶がよみがえる。祖母は月に一度ほどのペースで近江八幡市から上京していたため、フレンチレストランで夕食をともにすることも多くあった。

祖母が聞かせてくれたのは、「空気を読む大切さ」についての話であった。

レストランでは、料理が運ばれるごとに料理名や材料、調理法などの説明がされることがある。おそらく、そうすることが一つのマニュアルとして定められているのであろう。料理について説明を聞くと、よりおいしく、楽しく食事をすすめることができるのは確かである。

しかし、客同士が会話を弾《はず》ませている最中、話をさえぎるように料理の説明をしようとすることは、慎むべきではないかと思う。さらには、料理の説明を終えるまでは客のそばから離れてはならないというマニュアルが存在するのだろうか、会話が途切れるまで客の傍《かたわ》らに立って控えているケースも少なくない。

客の側に立ってサービスを提供しようとこころがけること、つまり場の空気を読んだうえでの状況に応じた行動こそが、真のサービスであることを、祖母は幼い頃から私に教えてくれた。その教えは、礼法を指導するうえでも役立っている。

また先日、サービスにはこころが不可欠であることを、改めて学ぶ機会があった。ある航空会社に調べて欲しいことがあり、連絡をしたのだが、「その件につきまして、こちらではわかりかねます」とあっさり断られてしまった。

しかし、それではこちらも困ってしまう。再度、連絡をすると、別の人が電話口に出たのだが、同様の内容を相談したところ、親身に対応してくれたため、事なきを得た。おそらく、マニュアルにはない、その人自身のこころが生みだしたサービスを提供してくれたのだろうと思う。その対応に感謝するとともに、マニュアルを超えたサービスに接することの喜びと、その大切さを身を以《も》って感じることができた。

マニュアルを超える前には、マニュアルを身につける必要性がある。なぜなら、基本を身につけなければ、応用もできないからである。それは、礼法を身につけるうえでも欠かすことができない。

礼法を指導する立場にある者たちは、同じマニュアルで知識や振る舞いを共有していないと、それぞれに統一された内容を地域や年齢に関係なく、等しく指導することはできない。ただし、マニュアルを身につけただけで満足していたのでは、指導者としては不十分である。というのは、それに伴う「こころ」がなくては、マニュアルの意義を伝えることができないからである。

さて、入門したばかりの門弟は、ぎこちない立ち居振る舞いをする。企業研修などでお辞儀の指導をすると、最初は肩や首あたりに余分な力が入ってしまい、堅苦しいお辞儀をなさる参加者も少なくない。

おそらく、初めてお辞儀の指導を受けた人の中には、「こんなに窮屈《きゅうくつ》なお辞儀ならば、今までの楽なお辞儀のほうがよい」という印象を受けることもあるかもしれない。

だが、途中で投げ出してしまっては、身につくものも身につかない。最初は慣れないお辞儀でも、続けていくうちに自然に行うことが可能になる。しかし、そのハードルを乗り越えて身につけるまでには、努力と忍耐も必要なのである。

つまり、マニュアルをしっかりと自分の身体に叩き込み、さらにそれを臨機応変に活用してこそ、初めて自然な振る舞いへと変化するのである。「堅苦しい」の先に「自然な美しさ」が存在する。

こうしたこころがけに関することが、伝書にも多く残されている。


**御供《おとも》候時心得のこと……（略）川などを御渡り候時は少し川下を渡るべし。但し水など出でたる時は川上を渡るべし**

とある。普段は、川上を歩いてしまうと、自分が歩くさいに立ててしまった砂がご主人にかかることが考えられるので、川下を歩くこととされていた。しかし、雨のあとなどで川の水が増したさいには、川上から枝などが流れてきて危険なので、お供する者が川上を歩いてそれを防いだのである。

このように、礼法のマニュアルである伝書の中にも、臨機応変な対応が説かれていたことがおわかりいただけるのではないかと思う。

また、他の伝書の一説に、

当座目に立ち申さぬ様に時宜《じぎょ》能き様にするをさして躾と申す也。……（中略）……一篇にこりかたまりたるは礼に非ず

とあるのだが、この箇所の前文には、日常は右に廻ることが基本ではあるものの、大勢の人が集まっているとき、あるいは囲いなどがあって右に廻れないときなどは、臨機応変に左廻りをするべきである、と説かれている。

この文中にある「時宜《じぎ》よきようにする」とは、時・場所・状況に応じた自然な振る舞いが大切である、ということ。この「時宜によるべし」という文言は、伝書の多くの箇所に用いられている。なぜなら、礼法は前述の通り、かたちにばかり拘泥してはおらず、すべての手順や規則は、相手や周囲との和を重んじることから発しているからである。

ところで、manual の語源は、ラテン語の manus（手）からきていることはご存知であろうか。この manu- から始まる単語は、いくつも存在している。たとえば、manuscript 。manu の「手」と script の「書かれたもの」が合わされてできた単語である manuscript は、「手書きの原稿」という意味である。

そのほかに「維持する、続ける」などの意の maintain や、「管理する、経営する」などの意の manage もあり、いずれもその語源には、「手」という意味が存在していることが改めてわかる。

このようにマニュアルの語源から考えてみると、マニュアルとは固定された概念で使われることだけが目的ではなく、それを扱う人や身につける人により、それぞれの「手」が加えられて初めて活かされるように思えてならない。

マニュアルは応用されることまでも想定したうえで定められているのだが、一定の基準までは手順を間違えて失敗することのないように、初心者に対しても重要なのだ。だからこそ、マニュアルは我々の生活のあらゆる場面に存在する。

礼法の観点からも、マニュアルがあるからこそ、相手への「こころ」を的確に表すことができるのである。

しかし、何度もお伝えするが、マニュアルを身につけただけでは、こころを十分に伝えることはできない。「時宜によるべし」をお忘れなく。

## 『三議一統』と「仁」「義」——情けと道理の教え

さて、序章でもご紹介した伝書『三議一統《さんぎいっとう》』には、「仁」と「義」について、つぎのような教えがある。

**仁と云うは慈悲《じひ》を専《もっぱら》として心に情を先とす**
**義というは善悪をただし賞罰を明らかにす**

「仁」は「人」と「二」から成り、重い荷物を背負って背を丸くした人の意で、また「二」は悲しみの意も表すといわれていることから、ひいて、「しのぶ」、「したしむ」、「いつくしむ」、「おもいやり」、「なさけ」などの意味がある。

「義」は「羊」と「我」から成り、舞の美しい姿、礼を行う美しい姿の意で、ひいて、「礼にかなった美しい立ち居振る舞い」、「道理」、「ただしい」、「譲る」、「よい」などの意味がある。

その他の伝書にも「仁」と「義」についての教えが残っており、学ぶところが多い。こうした伝書の箇所から、周囲に対する思いやりのこころを大切にしながら、己よりもまず他者を重んじることを先とし、慎みの気持ちを忘れることなく周囲との和を育み、ものごとに対する善悪を見極めて潔く生きる武士としての心意気を読み取ることができる。

このように他者を守るほどの強さがある人は、他者へのやさしい気持ちを兼ね備えている。そのやさしさは、作法のあらゆる箇所に表現されていることをすでにご理解いただけたかと思う。

さて、手紙一通を届けるのにも何日もかかった時代、つまり文明の利器が乏《とぼ》しかった時代に、礼法は確立された。一方、便利な時代ほど、昔と比べて時間にゆとりができるはずなのにもかかわらず、日々、私たちは忙しいからと他者への思いやりを忘れ、人間関係を薄れさせてしまいがちである。現代人の精神力が弱くなった理由は、逆に便利で豊かな環境におかれるようになったからだろうか。

しかし、日本人として、他者へのこころ遣いを忘れることや、自分の中でそれを育むことを切り捨ててしまうことは、自分のルーツを失くしてしまうことにも繋がるのではないかと思う。なぜなら、先人たちは、長い歴史の中で、他者の気持ちを察する控えめなこころを育むように努めてきたからである。

この控えめなこころとは反対に、自己中心的な振る舞いをする人が増加していると感じているのは、私だけではないと思う。このような行動ばかりをしていたら、日本人の平均的な文化レベルは低くなってしまうばかりだ。

それを克服するには、礼法を日常に取り入れることも一つの道だと思う。なぜならば、礼法は自己を抑制し、他を重んじるこころから発するだけでなく、さらにそれぞれの作法は長い年月をかけて研《と》ぎ澄まされてきた、先人たちの知恵の宝庫だからである。

機器が発達しようとも、どんなに便利な時代に生きようとも、現時点において、人はたった一人の力で生活していくことは困難なのだから、周囲の人とのよいコミュニケーションを育む努力を怠《おこた》ってはならないのではないだろうか。だからこそ、こころを鍛え、一つでも多くの作法を身につけて、状況に応じた、臨機応変で、やさしく、優美な振る舞いをこころがけていただきたい。

男らしい人とは、やさしさを忘れない人なのである。

## 「義侠」——こころと身をおさめる忍耐強さ

礼法が現代にも必要であることは、あらゆる角度から触れてきたが、改めて礼法の必要性を考えてみたい。

昨今、忍耐力に乏しい人が増えているように思うのだが、少しでも先人たちを見習ってほしいものである。武士の中には短気な人も存在していたであろうが、忍耐強い精神力は、武士の目指すところでもあった。

たとえば、徳川家康公の遺訓に、このようなものがある。

人の一生は重荷を負うて遠き道を行くが如し。急ぐべからず。不自由を常と思えば不足なし。心に望みおこらば困窮したる時をおもいだすべし。堪忍《かんにん》は無事《ぶじ》長久《ちようきゆう》の基。怒りは敵と思え。勝つことばかり知りて負くることを知らざれば害その身にいたる。己を責めて人を責むるな。及ばざるは過ぎたるに勝れり。

また、成富兵庫茂安《なりどみひょうごしげやす》という、鍋島直茂に仕え、水害の防止や上水道の建設などに功績を残し、後に水の神様とまでいわれた人が、

**勝ちというは味方に勝つことなり。味方に勝つというは、我に勝つことなり。我に勝つというは、気を以《も》って体に勝つことなり。**

といっている。

ここでいう「気を以って体に勝つ」というのは、自身の強い意志により、現在ある状況や自分の置かれている状況を諦めることなく、勝利の可能性に向かって切り開いていくことを指しているのだろう。

すべての状況において、精神力だけでは乗り越えられないこともあるのではないかと思う。しかしながら、意志の力は、こころの問題に止まらず、体力を向上させること、仕事を成功に導くこと、周囲との人間関係を円滑にすること、すべての事柄に対する可能性を持っているのである。

小笠原流の伝書にも、本章の冒頭でご紹介しているような、こころに関することも多く説かれている。

**ある証文に　人の覚悟の事　まず身をおさむべき事第一肝要なり。身をおさむるとはこころをおさむるなり。左候へば　すなわち身をおさむるにて候**

こころがおさまらなければ、身もおさまるはずがない。つまり、こころが備わっていることが、常識のある振る舞いに通じるということである。

さて、現代においては、機器の発達などから、かならずしも男性並みの体力がなくても、女性が活躍できる場面が増えた。しかも男性の中に、昔と比べて体力的にも精神的にも女性よりも弱い人が出てきたことも、女性の社会進出に拍車をかけた理由の一つではないかと思う。

だからといって、男性の本質が変わったとは思えないし、思いたくない。序章で触れた「直線の美」「曲線の美」のように、私は、女性は女性らしさを失くしてはいけないと思っており、だからこそ、男性は男性らしさを失わないでいただきたいのである。

そこで取り上げたいことばは、「義侠《ぎきよう》」。

義侠とは、正義のために強者を抑え弱者を助ける勇気を指す。男伊達《おとこだて》とは、義侠のことである。ほかに「仁侠《にんきよう》」ということばは、強者をくじき弱者を助ける気性が強いことを指し、「仁義」というのは、仁侠と義侠からできたことばだといわれている。「仁」と「義」、それぞれの文字に込められた意味については前述の通りであるが、武士には、仁義があった。親愛のこころと道理に適うことを身につけるのが、大事とされていたのである。

ただし、仁義には、両者のバランスが必要であると考えられていた。つまり、相手への思いやりや情けばかりがふくらんでも、あるいは道理ばかりが先走っても望ましくない。「仁に過ぐれば弱くなる。義に過ぐれば固くなる」という伊達政宗のことばは、この両者を的確に表現しているといえよう。

どのような状況下においても、心身ともにおさまっている人になりたいものである。

# 第2章　男の姿勢

## 「身体の幅」を意識する

礼儀作法は、知識を身につけただけでは十分とはいえない。実際にあらゆる状況に遭遇することによって、身につけた知識や振る舞いは磨きがかけられる。さらには、それらを活用できるようにと、日々、研鑽《けんさん》を積むことが大切なのである。

たとえばゴルフに関しても、ＤＶＤや書籍によるイメージトレーニングも大切だとは思うが、それだけで名プレイヤーになることは難しい。実際に何度もゴルフコースへ足を運んでプレーをしなければ、自分の弱点を知り、それを克服することはできない。つまり、どんなに頭では理解できていたとしても、実地で学ぶ機会がなければ、ゴルフの腕を磨いていくことはできないのと同じである。

武士の間でも、実体験をもとに、あらゆる作法が伝えられた。礼法の確立された室町時代の伝書を読んでいると、武士は相手に対するこころ遣いを「作法」という形式にあてはめて表し、失敗や危険が伴わないように行動すること、また美しく流れるような動作で行動することを大切にしていたことがわかる。

そのためにも当時の武士は、差している刀の長さ、兜《かぶと》や鎧《よろい》の大きさなども含めた、「自分が占める身体の幅」を意識して動いていた。

たとえば、

まず少し間をおき少し筋ちがう心得にして……刀のこじりを気遣いして立つなり。左様なくして其儘《そのまま》立ち候えば自然怪我をするなり

と、お客様のお膳を下げるさいの心得が説かれている。お膳を取り上げるときには、相手

と自分との間に少々の間隔を取り、正面ではなく、いくぶん斜めになるように身体をずらし、刀のこじりに気遣いしながら立つ、ということである。空間を取り、ななめになることで、自分が差している刀のこじりが相手に触れてしまったり、他のお膳にぶつかって粗相《そそう》をしたり、あるいは相手に危険が及んだりしないように……などというこころ遣いから生まれた作法といえよう。

このように、日常の中でこじりが人や物にあたらないようにというこころがけがなされていたぶん、不意にこじりが人にあたってしまったさいには、故意に行われたことと捉えられてしまうのである。

あるいは、

茶の湯のこと伝えて云う。広座敷にては脇差《わきざし》をぬぐべからず。本刀　脇差をぬぐ事　本意にあらず候えども囲いの中せまく候につきて自然脇差などのこじりにて砂土　障子などそこね候えば如何とて刀　脇差ぬぎ置き候なり

と茶室においての心得も伝書に残っている。茶室は限られたスペースゆえ、身につけてい

る脇差などの刀のさやの先端によって壁の土や障子を傷つけてしまうことがないように、脇差を外すことが基本とされた。

ここでご紹介している二つの伝書の教えは、いずれも車の運転に置き換えて考えることができるように思う。運転免許証を持ってはいるものの、まったく運転技術に自信のない私のようなペーパードライバーにとって、車の車幅を自分の身体の幅のような感覚で運転できるのは、夢のようなことだ。だが、運転するうえで車幅間隔を身につけておくことは、ドライバーの責任として当然のことであり、危険を回避するための最低限のルールである。

最近は自分勝手な運転をする人が増え、車線を越えて走行している車や、方向指示器を使わずに突然車線変更をする車、あるいは信号近くに平気で駐停車している車などに驚かされる。

私たち自身の行動も同様で、その空間のなかで自分の身体の幅が占める割合を理解し、なるべく多くのスペースをとってしまうことのないように努めるべきではないだろうか。

公共の乗り物のなかでは、寝そべるように足を前に投げ出して座っている人や、満員電車にもかかわらず、荷物を膝のうえに置こうともせず、隣の座席に置いたままの人を見かける。

先日は、都内の地下鉄のなかで、二〇代と思われる男性が、昼間から完全に横たわって座席を占領し、我関せず、という光景もあった。

また、家のなかにおいても、何かを持っていたり身につけているさいは、その物を含めて、自分の占めている領域がどの程度であるかということを理解しておかないと、柱や家具に肘《ひじ》をぶつけて持っているものを落としてしまったり、そばにいる人に危害を与えてしまいかねない。

こうした粗相《そそう》を防ぐためにも、伝書には、

**給仕をする身なりのこと。腰を据えてちと前へかかり肘をさのみいらいらげずして顔持ちは膳の下より三尺ほど先を見べし。反《そ》りて目付きの遠きは自然　怪我をすることあり**

と給仕をするさいの態度について説かれている箇所がある。「肘をいららげず」、すなわち肘をつっぱらせずに軽く曲げておくと、予測なく横から誰かが出てきてぶつかってしまった場合などにも、危険を回避できるのである。

上中下の人間関係のなかであらゆる予測をし、それに適った作法で振る舞うことが、武士にとっては一大事であったに違いない。だからこそ、武士の振る舞いには理由が存在する。武士が身体の幅を意識していたように、私たちも日々の暮らしのなかで自分の身体の幅を意識し、周囲に不快感や迷惑を与えない行動をこころがけたいものである。

## 「正座」――生気体と死気体

小笠原流では、正しく整った姿勢を「生気体《せいきたい》」、整っていない悪い姿勢を「死気体《しきたい》」と呼ぶ。伝書には、「尻とかかとの間に紙が一枚あるような気持ちで座るように」と正座について説かれている。

つまり、上体の重心は腿《もも》の中間あたりに落ちるようなイメージで姿勢を正すことが大切なのだ。実際、お尻とかかととの間に半紙をはさんだ状態で、正しい姿勢からやや後ろに体重を落とすと、その瞬間に半紙は破れてしまう。

それとは反対に、猫背で首を前に出すような死気体でいると、内臓を圧迫し、腰を痛めることにもつながる。死気体から正しい動作は生まれないが、生気体からは美しく正しい動作が生まれる。

正座を身につけるためのポイントは、次の通りである。

・髪の毛を上から引っ張られているようなイメージで上体を伸ばし、下腹部（腹筋と背筋いずれにも）に力を入れ、背骨を腰につき刺す感じで背筋を伸ばし、腰を据える。このとき、肩や首に無駄な力が加わると、堅苦しい印象となるので注意する。
・膝元は、男性は握りこぶし一つ分程度を開ける（女性は合わせる）。
・足の親指は、三、四センチ程度、重ね合わせるように。
・足がしびれそうになったさいは、両足の親指を反対の重ねにしてみたり、親指を少々、上下に動かすとよい。
・手元は、指先を揃えて軽く丸みをもたせ、改まっているときは手を重ねず、腿の上に自分からみてハの字になるように置く（椅子に座っているときも同様）。
・顎《あご》を引く。
・呼吸は腹式呼吸をこころがける。
・和室においては正面に視線を置かず、一メートルほど先を見るように。

もし、しびれてしまった場合は、「跪座《きざ》」という姿勢をとる。これは文字通り、跪《ひざまず》くこと。正座の状態から少々腰を浮かせて片足ずつつま先を立てる。このとき、左右のつま先、かかとはともに合わせ、そのうえに腰を据える。

この跪座を身につけておくと、座っている姿勢から立つさい、あるいは立っている姿勢から座るさいに活用することができる。

立つときは正座から跪座になり、つぎに下座側の足（相手から遠い側、出入口に近い側など）を半歩ほど前に踏み出し、上体の姿勢を崩さないように注意して残りの足を前に運びながら、立ち上がる。

座るときは下座側の足を半歩ほど後ろに引き、両膝を折り曲げて垂直に上体を落とし、跪座になってから、片足ずつ足を寝かせて正座になる。

このようにして立ったり座ったりすると、よろけてしまうなどというような不安定な状態を避けて動作を行うことができる。

さて、相手から「おみ足を楽になさってください」といわれた場合、状況によって、男性はあぐらになることもあるだろう。そのさい、すぐにあぐらに移るのではなく、「三辞三《さんじさん》譲《じょう》」の精神を忘れてはならない。

「三辞三譲」とは、勧めるのも辞退するのも三度まで、それ以上はどちらも押し付けがましく失礼である、ということ。したがって、一、二度の辞退ののちに「恐れ入ります。おことばに甘えて失礼いたします」などと感謝と断りを伝えてから、あぐらをかくとよい。

気持ちを落ち着かせ、身もこころも整えながら座る正座は、「静」と「動」を兼ね備えた姿勢であり、心身が正装した状態ともいえよう。正しい姿勢は、ことばを発することがなくても、相手に対する思いを体現することのできる、日本文化のかたちの一つなのである。

## 「立ち姿」——自然な「胴づくり」をこころがける

胴はただ常に立ちたる姿にて退《の》かず掛《か》からず反《そ》らず屈《かが》まず

という小笠原流の教え歌がある。退かずとは右に、掛からずとは左に、反らずとは後ろに、屈まずとは前に傾かないということ。正しい姿勢は、身体が前後左右に傾くことなく、無理のない自然な状態を示す。これを「胴づくり」と呼ぶ。

現代においては、前述の正座よりも立っている姿勢のほうが日常的であろう。立ち姿のポイントは、次の通りである。

・上体の伸ばし方は、正座と同様。
・重心は、頭の重さが土踏まずに落ちるようなイメージで。
・足元は、立っているとき、また椅子に座っているときも、左右のかかとをぴったりとあわせ、つま先は少々開く（女性は合わせる）。
・両手は、指先を揃えて軽く丸みをもたせ、身体の脇に自然に下ろす。
・下腹を突き出さないようにし、おへその下あたりを意識しながら呼吸を整える。
・顎が前に出ないように注意する。

一般的に「姿勢を正してください」といわれた場合、背骨を伸ばすことばかりに重きを置く人が多いように思うのだが、それでは不自然な印象をつくってしまう。正座と同様に下腹部には少々の力を入れるが、背・肩・首には余分な力が入らないようにして、自然な胴づくりをこころがけていただきたいものである。

さらに、正しい姿勢は、かたちを整えるだけで完成することはない。７章でも触れるが、明るくやさしい表情を保つことは、正しい姿勢に繋がる。したがって、こころを明るく持つようにとこころがけることも、正しい姿勢には欠かせないのである。

つまり、正しい姿勢は、私たちの精神面に繋がっている。たとえば、人は何かに集中しようとするさいには、改めて座り直すことや、姿勢を正すことがある。おそらくそのような行動は、こころを集中させようとする思いの表れであり、自分では意識がなくても自然に気持ちの切り替えをしていることが予想できる。

さりげない立ち姿を身につけることが、全ての動作の基本となる。無駄のない洗練された姿は、己のこころの在り方そのものなのである。

## 「お辞儀と礼三息」――慎み深く、堂々と

お辞儀は、非言語的コミュニケーションの最たるものである。ことばを用いなくても、相手に対する感謝や敬意を表すことができる。だが残念なことに、昨今においてお辞儀は、日々の暮らしのなかで大切にされていないきらいがある。

たとえば、多くの日本人は、挨拶をするさいに何度も頭を下げる。外国映画で日本人が登場するシーンでは、たった数分の間に数え切れないほどのお辞儀をしていることが多い。

さらに、「間」のないお辞儀が忙《せわ》しない印象を作り出してしまうため、頭を下げた瞬間、すぐに頭を起こすようなお辞儀だけは、避けていただきたい。あまりにも情けないお辞儀である。

そこで、礼法の授業が取り入れられている学校や企業研修においては、なるべく丁寧なお辞儀を日常生活のなかにも取り入れていただくようにお伝えしている。最初のうちは丁寧なお辞儀に違和感を覚えたり、慣れないこともあるようなのだが、お辞儀の大切さがこころで理解できるようになると、今までのお辞儀は何と粗末に行っていたのだろうかと反省した、という声を聞くことも少なくない。

お辞儀は、相手へのこころの表れであり、それは一方通行ではなく、両者がともにこころを込めて行うことで、互いの気持ちの交流が可能となる。したがって、やみくもにお辞儀をすればよいというのではなく、尊敬や感謝の念をより伝え易いお辞儀の表現を身につけていただきたい。

お辞儀には、立って行う「立礼《りつれい》」と、座って行う「座礼《ざれい》」がある。まず、立礼のポイントからご紹介したいと思う。

——立礼のポイント——

まず、お辞儀は角度で考えないこと。また、両腕を身体につけたままの状態でお辞儀をするのは、見た目に不自然であるばかりか、合理性にも欠ける。身体の脇にある両手がどの位置にくるかでそれぞれのお辞儀を判断し、動作を身につけることが、自然なお辞儀に通じる。

立礼は、「会釈」「浅めの敬礼」「深めの敬礼」に分けることができる。その他に最敬礼があるが、直角礼ともいわれるほど上体を深く倒すお辞儀で、仏前や神前、その他の儀式で用いられるため、日常的ではない。

また、お辞儀をするさいに忘れてはならないのが、「礼三息《れいさんそく》」である。礼三息を身につけることにより、自然なお辞儀が可能となる。

〈会釈〉

両脇の手が股の前辺りにくる程度まで、上体を倒す。一般的に一五度程度といわれるお辞儀。

会釈はお辞儀でありながら、慎みの姿勢として用いられることがあり、高位な方をお迎えするさいにも適している。

また部屋の入退室、お茶を運ぶ、あるいは道や廊下で人と行き交うさいなど、日常頻繁に用いられるお辞儀である。上体を倒す角度が浅いことから、頭のみを深く下げてしまいがちなので注意が必要。


〈浅めの敬礼〉

両脇の手が、会釈よりも少々、膝頭に近づく程度まで、上体を倒す。一般的に三〇度程度といわれるお辞儀。

相手と対面する、あるいはお暇《いとま》するさいなどに用いる。会釈と同様に日常的なお辞儀である。


〈深めの敬礼〉

両脇の手の指先が、膝頭に届く程度を限度として上体を倒す。一般的に四五度程度といわれるお辞儀。

感謝やお詫びを伝えるときなどに用いる。

以上、これら三種類の立礼は、時、場所、状況に応じて活用することをお奨めする。


〈礼三息〉

前述の通り、お辞儀に忙しない印象を残さないためにも、身体を倒してからもとの姿勢に戻るところまで、ゆっくりと動作を行うことが重要である。

それには、正しい息遣いを取り入れることが有効である。
①息を吸いながら上体を倒す。
②動きが止まったところで息を吐く。
③再び息を吸いながら上体を起こす。
このように「吸う」、「吐く」、「吸う」、と息遣いを行うことを小笠原流では、「礼三息」と呼んでいる。

さて、小笠原流では「九品礼《くひんれい》」と呼ばれる九種類の座礼がある。そのなかで日常に用いられる頻度の多い、三種類のお辞儀をご紹介したいと思う。

洋室での生活が中心のご家庭が増えてはいるものの、和室において接待の席が設けられることがあるかもしれない。そのようなときに周囲に対して失礼な態度とならないよう、日頃から座礼の基本を身につけていただくことをお勧めする。

――座礼のポイント――

〈指建礼《しけんれい》〉

正しく座った姿勢から、腿の上にある両手の指先が畳につくまで身体を倒す。

座布団に座ったまま、お茶が運ばれてきたときに給仕してくださった方へお礼を伝えるさいなどに用いるお辞儀。給仕する人も、このお辞儀を用いる。立礼の会釈程度のお辞儀と心得ておくとよい。

〈折手礼《せっしゅれい》〉

指建礼よりもさらに身体を傾《かぶ》す。手のひらは畳についた状態で、指先が膝頭と一直線に並ぶ。このお辞儀は、挨拶の向上を述べるさいや床の間の掛け軸や花などを拝見するさいにも用いられる。

〈双手礼《そうしゅれい》〉

このお辞儀は、立礼の敬礼にあたる。したがって、時・場所・状況に応じて深さが異なる。両手の手首が膝頭に並ぶあたりを起点とし、両手の指先がつく手前までを限度とするが、通常は左右の手の間に握りこぶし一つ分程度開いたところで止める。

友人や知人宅を訪れたさい、部屋に通されてから最初に交わす挨拶やお暇するときの挨拶は、折手礼と組み合わせてこのお辞儀を用いる。

以上の三種を身につけておけば、日常には十分であろう。座礼は、身体の傾斜が深くなるほど猫背になりやすいので、気をつけなければならない。

また自然に座礼を行うには、上体をまっすぐに保ちながら倒し、傾斜が深くなるにつれて両手は前方へ進んでいくイメージを忘れないことが大切である。

以上が、立礼と座礼を行うさいのポイントである。

ゆとりを持ちながら、その場に適したお辞儀が何であるかを見極め、堂々としながらも、どこかに慎み深さが感じられるようなお辞儀ができる男性は、いつの時代であっても魅力的である。

## 「歩き方」——常に重心を意識する

「歩」は、左右の足がたがいに相従う、という意味を表す。象形文字をたどると、「止」が左足、「少」が右足を表しているようである。左右の足を前に進めるだけのことであるのだが、正しい歩き方を身につけるのは、簡単なことではない。

さて、小笠原流の歩き方は、「ねる」「はこぶ」「あゆむ」「すすむ」「はしる」など、速度から息遣いまでが時・場所・状況に応じて使い分けられていた。そのなかで、「あゆむ」は現在においても和室における歩き方の基本となる。

あゆみよう　すこしさしうつむきて　こあしに　ちと足早に候て御酌のすこしこなたにて　かしこまり候て　そとうへの御気色をうかがうこころにてはいよりたるがよく候。大またげに　そり候てあゆみ酌の際《きわ》にてかしこまるは尾籠《びろう》なり

と、貴人から盃《さかずき》を頂戴するときの振る舞い方について伝書に残っている。

貴人からお酒を頂戴するさいは、少々ゆっくりと行くほうが丁寧でよいと考えがちだ。しかし、そのような上の立場の方がお盃を下さる光栄に浴するとは思いもかけない、という感激や感謝の気持ちを足運びを早めることによって表したのである。とはいうものの、慎みの気持ちは忘れてはならず、大股でそりかえるように歩んでしまうと偉そうな印象をつくってしまうので、少々うつむき加減に小幅に歩くことがよいのである。

さて、歩き方は、両足を平行にして一本の線をはさむように歩く、と心得る。まず、少々前傾の姿勢で、足裏が平行に進むような意識を持つこと。前へ足を運ぶさいには、踏み出した足には力を入れず、残っている足に体重をもたせておき、さらに踏み出した足へ重心を徐々に移していくよう、つねに身体の重心が中心にあるような体重移動をこころがける。そ

のためにも、後ろの足はひきずるのではなく、身体についてくるような意識での体重移動が大切である。足先ではなく股で歩くようなイメージをもつと、身体の揺らぎや膝を大きく曲げるのを防ぐことができる。

また、身体のバランスを計るとわかると思うのだが、無意識のうちに左右均等に重心を取っている人は少ない。ゆえに、歩くときには利き手と同様、足にも利き足がある。つまり、左右のどちらかの足に比重をかけて立ったり、歩いたりしているのである。歩くさい、利き足でない側の足は、どうしてもひきずるようにして前方へ運んでしまいがちなので、日頃から重心を意識する。

以上が和室での歩き方の基本だが、昨今は靴を履いての歩行が中心のため、前述の歩き方とは異なる点がある。そこで、洋装での歩き方について、ポイントを紹介する。

まず、髪の毛を上から引っ張られ、下腹部を少々引き上げるイメージで、正しい姿勢を保つようにこころがける。踏み出した足は膝を伸ばした状態で、かかとから着地させるが、このとき勢いよくかかとを着けることは避けなければならない。

歩くときは、腰を前方へ出す感じで、足を踏み出す。室内や和室での歩き方と同様に、上体が前後左右に傾かないよう、安定した姿勢を保つこと。

また女性のヒールやミュールのかかとの音が気になるように、男性も靴音が大きいと品格を損なうため、音への配慮も忘れてはならない。

さらには、姿勢が悪い状態で歩く人、膝を曲げて歩く人などは、見た目だけでなく、腰痛や頭痛を招き、健康に悪影響を与えかねない。

正しい姿勢で歩くと、こころも正される。武士の颯爽《さっそう》と歩く姿を頭のなかに描きながら、男性にも洗練された歩き方を身につけていただきたいものである。

## 「礼三度に過ぐべからず」――ゆとりある振る舞いでこころを伝える

人に式対の事さのみ繁きは返りて狼藉《ろうぜき》なり。三度に過ぐべからず

とは、お辞儀に関する心得として伝書に残された一説である。

相手のお宅に伺ったさい、玄関での挨拶、部屋へ通されてからの挨拶、暇《いとま》の挨拶、と丁寧な挨拶というのは三度ほどが好ましい。なぜならば、それ以上になると、それぞれの挨拶

が軽くなってしまうからである。

そのさい、挨拶の最中に何度もお辞儀をすることもまた、控えるべきである。お辞儀と礼三息の項目でも触れたように、何度もお辞儀をすることで、ゆとりが感じられなくなってしまうのだ。

したがって、一回の挨拶で行うお辞儀は少ないほうがよい。そのほうがこころを込めてお辞儀がしやすくなる。

さて、お辞儀に関して私は、幼少時代に嫌というほど躾けられた記憶がある。頭だけを下げてお辞儀を行おうものならば、あとで父からお叱りがくる。背中に定規を入れてお辞儀の練習をしたこともあったくらいだ。

忙しないお辞儀をすれば、その場で祖母から注意があり、最初から挨拶をやり直したことは数え切れない。たとえば幼い頃から、和室での会食の席ではお食事をいただく前に襖《ふすま》を開け、襖の手前で丁寧な挨拶を行ってから入室することが当然だった。そのさい、いい加減な座礼をすると、「こころが込められていない」との一言で挨拶のやり直しを余儀なく命じられ、「それほどまでしなくとも」とこころの中で何度も叫んだものである。

そのような反抗心は年を重ねるごとに減ってはいったものの、その思いを完全に失くすことができたのは、お辞儀の素晴らしさを体現されている方に出会ったからである。

ある日、祖母とレストランで会食をしていると、偶然にも祖母が親しくしていたある企業の社長と遭遇した。その傍《かたわ》らに秘書の方がいらしたのだが、その方の振る舞い、特にお辞儀があまりにも素敵で、こころが震えたことを記憶している。

その方は、見た目の造形的な美しさをも兼ね備えていらしたように記憶しているのだが、そのことよりもむしろ、美しい姿勢とお辞儀をするさいのゆとりある振る舞いに、ことばでは表すことができないほどの優雅さを覚えた。そのときから、ことばを用いることなく、相手にこころを伝えることのできるお辞儀の素晴らしさを実感し、自らも同様のお辞儀を行いたいと思ったのである。

お辞儀にかぎったことではないが、このようにお手本となる人に出会えることは幸せである。周囲の人に、特にこどもや若い世代の人によい刺激を与える大人でありたい。そのためにも、毎日の生活のなかで誰もが行うお辞儀や挨拶は、「礼三度に過ぐべからず」を体現し、男性としての優美さを次世代へと伝えていただくことを願う。

# 第3章　男の席

## 「席次」――高座をこころがけるのは田舎人のわざ

高座を心掛るは田舎人のわざなり

という伝書の一節が示すように、昔から高い席に座りたいと思う気持ちは、卑《いや》しいものとされてきた。

しかもこの箇所の前文には「我があるべき座より下りて居るべしと思う心持《こころもち》肝要也《かんようなり》」と

ある。自分の座るべき位置にある席よりも下座の席に座ること、すなわち慎みのこころを持つことが大事である、ということだ。

こうした席次にまつわるエピソードとして、小笠原流の伝書には、室町時代に土岐《とき》大膳大夫《だいぜんだいぶ》康政（伊勢の守護）が京都に屋敷をつくり、足利義満を招く前に新居移転の披露に大小名を招いたさいのことが書かれている。

正客には管領《かんれい》細川右京大夫頼元、次客には今川貞臣が迎えられたのだが、当日、すでに皆々が列座しているなかばに、赤松上総《かずさ》入道義則が遅れてやってきた。しかしながら、すでに大小名たちはそれぞれの家の序列を重んじて座していたため、赤松に席を譲ろうとする人がいなかったため、赤松は気分を害してしまったのである。

それを察した今川貞臣は、席を立ち、さりげなく赤松のところに行ってしばらく世間話をした。その場において上位の人である今川が、もとの席を立って下座にいるとなれば、周囲の人々はそのままの場所に座っているわけにはいかなくなる。ゆえにその場にいた人々は席を立って見合わせ、本来の席次通りに座が定まったのである。このような今川のさりげないはからいに対して、赤松は一生の恩になるこころざしであると感謝したという。

現代でも、上の立場にいらっしゃる方には、ご自身の立場に驕ることなく周囲への配慮を忘れない、今川のようなこころ遣いを忘れないでいただきたいものである。

さて、和室においては、床の間と床脇棚《とこわきだな》によって、上座と下座が決められることが基本となる。中心に床の間が配置されている場合のほかに、床の間が向かって右、床脇棚が左に位置している場合は本勝手、床の間と床脇棚が逆に位置している場合は逆勝手と呼ばれる。いずれにしても、床の間に近い側が上座である。

なぜ床の間に近いところが上座になるのか。その理由の一つに、「押板《おしいた》」と呼ばれていたものを床の間の起源とする説が挙げられる。

幅一間から三間、奥行一尺五寸から二尺であった押板が、幅一間、奥行三尺ほどの現在に近い大きさになったのは、桃山時代あるいは江戸時代初期からといわれている。

押板には、僧家の影響により仏画像が掛けられるほかに、三具足《みつぐそく》（花瓶《かへい》、燭台、香炉）が飾られて礼拝することが多かった。そう考えると、床の間は和室において最も神聖な場所であり、だからこそ床の間に近い席が上座となることがおわかりいただけるのではないだろうか。

また和室においては「左上座」といって、向かって右側が上座となることが基本である。

次に洋室だが、和室の左上座に対して、プロトコール（国際儀礼）では、「右上座」（向かって左側が上座）が基本である。

お客様に椅子を勧める場合は、ソファーに座っていただく。なぜならば、たとえお客様が一人であっても、ゆったりとくつろいでいただきたいというこころ遣いから勧める椅子が、ソファーなのである。時折、アームチェアは背もたれと肘掛けがあり、一人分のスペースが確保されているため、お客様用の椅子であると誤解されることがあるようなので注意いただきたい。

したがって、部屋の構造上、出入口付近でないとソファーを置くことが難しい場合などは例外として、ソファーは出入口から遠い側、アームチェアは近い側に置かれることが望ましいのである。

さらに、和室洋室ともに、出入口近辺の席が下座であることのみならず、冷暖房の風、外からの光線の入り具合、景色なども考慮しながら、席次を決定することも忘れてはならない。

車における上座下座は、誰が運転するかでも大きく異なる。タクシーやハイヤーなどは、後部座席右側が最も上座、続いて後部座席左側、助手席が最も下座となる。

しかし、年配の人や和服を着ている方が後部座席左側から車に乗った後、右側まで移動することが困難であると考えられる場合は、後部座席左側に座っていただくこともある。このような場合、同行者は、敬うべき方が左側にお座りになったことを確認した後、車の後方から右側に回りこんでドアを開けて乗車する。

自家用車に同乗する場合は、助手席が上座、続いて後部座席右側、左側の順と考える。なぜ助手席が上座かというと、これは運転する方に対する同乗者の配慮なのである。

こうした知識を踏まえ、上座下座の心得として重要なことは、最も敬うべき方がどの位置にお座りになるかということ。その方が出入口近くの席が外の景色をよく眺められるからと所望された場合は、その位置を基準として上座下座が定まる。

パーティへ招待されたさい、先方に対して、仕事の都合によりパーティの半ばで退席せざるを得ないことを知らせておくと、あえて出入口近くの席を用意してくださることがある。仕事とはいうものの、途中退席はどこかで気が引けてしまうものなので、目立たずに席を立つことができるのはありがたい。

相手の立場や相手との関係などにより、こうした配慮がすべてのケースにあてはまるわけではないが、どの席に座っていただくことが招かれる側にとって心地よいのか、ということを考えながら席を設けたいものである。

また、招かれる側となった場合には、もてなす側のこころ遣いを受け止められるだけのゆとりを持って、それぞれの席に伺いたいとも思う。

存在感のある男性は、どの席に座っているのかにかかわらず、自然と周囲にオーラを放っていることを忘れないでいただきたい。

## 「慎みのある行動」――感情をすぐにかたちに表すことを避ける

男性にとって、夏の炎天下でスーツを着ての外出は、汗も出るだろうし、扇子を持っていれば扇ぎたくなるのも無理はない。

しかしながら、武士はそのような状況の中においても、

**御前に伺候のとき……扇をつかうべからず。汗をぬぐい鼻をかむべからず**

と、暑いからといって、上の立場の人がいる前で扇子を取り出して使用することは、慎みに欠けた自分勝手な立ち居振る舞いであると考えられていた。

どうしても暑さがしずまらないときには、

**自然難儀ならば二、三間ひらきて使うべし。皆開きては我心十分に似たり**

とあり、扇をすべて開ききらない状態で用いるならばよし、とした。それは、上の人に対する配慮だけでなく、周囲が誰であっても、自らの暑いという気持ちを全面に出し切らないようにという慎みの表れでもある。

よって、現代においても扇子はすべて開ききらず、また扇子の風が周りの人に不快感を与えないように低い位置で用いることをお薦めする。

自分の感情をすぐにかたちに表すことはできる限り避けたい。たとえば、同行している人が「暑い、暑い」と何度も声に出していうと、こちらもますます暑い気分になることがある。

だが、気温が三〇度を上回るような日に夏物の和服を涼しげな顔で着ている人の姿を拝見できたときは、それだけで涼しげな気分になる。

このように、武士は慎む気持ちをあらゆる行動に取り入れていた。

たとえば小笠原流には、軽いものは重々しく大切に扱い、また重いものを持つときは、顔をしかめていかにも精を出して重いものを持っているかのように振る舞うことは見苦しいので慎むように、という教えが存在している。これは、押し付けがましい立ち居振る舞いをできる限り避けようという、さりげないこころ遣いから発した慎みのかたちといえよう。

さて、目に立つことと同様、控えるべきことに、「音の慎み」がある。たとえば物を置くときにも、なるべく音を立てない動作をこころがけるべきである。それは大きくて重い荷物に限らず、食事中にワイングラスをテーブルの上に置くさいにも、無造作にならないように、音がしないようにと気をつける配慮は忘れないでいただきたい。

さらに、鼻をかむ音は、現代においても相手の不快感に通じるので慎むべきである。伝書に、

汗をのごい鼻かむべからず。但し難儀ならばそと蔭へ向きて鼻かみ汗を拭うべし

とある。暑いからといって、ハンカチを取り出して汗を拭くことや、鼻をかみたいからといって、おもむろに鼻紙を取り出すことはしないようにと説かれている。なんとも厳しい話である。

しかしながら、がまんすることが難しければ、人のいない側を向いて汗を拭ったり、鼻をかむことは許されていた。大事なことは、自分の気持ちのおもむくままに振る舞うことは慎むべき、という判断とそれに基づく立ち居振る舞いである。

暑いとき、寒いとき、疲れているとき、悲しいとき……どのようなときも常に周囲への配慮を忘れずに振る舞うのは難しい。だが、その難しさを克服した先には、磨かれた男性だけが持ち得ることのできる、優雅な立ち居振る舞いが存在する。

## 「礼の省略」――自分の存在を目立たせないという礼儀

惣別　貴人　主人の御前にては　さのみ万事に礼を深くすること慮外の儀なり

この伝書の一説は、さまざまな場面において活用するべき大切なこころがまえである。すべてのことに礼を深くすることはあってはならず、自分の置かれている立場や状況をしっかりと見極め、その場に相応《ふさわ》しい振る舞いをすることを忘れてはならないということである。

特に上の立場の方に対しては、

貴人に対して礼儀するは貴人に対して非礼なり

とも説かれている。一見すると、上の立場の方に礼儀を省くことなど非礼である、と思ってしまいがちだが、ときには、相手を敬うがゆえに自分の存在を目立たなくすることも必要、という意味なのだ。空気のような存在に徹することが、最も礼に通ずる、ということもある。

たとえば、上司に同行して取引先の役員の方を訪れた場合、たとえ初対面であったとしても、深々とお辞儀をし、自分から名刺を差し出して名乗ってしまうのは、かえって出すぎた行為となることがあり得る。つまり、こちらは礼を尽くしているつもりでも、実はその行為が、自分を目立たせることや相手に不快感を与えることに繋がる恐れがあるのだ。

そのような状況下においては、まずは目に立たないようにお辞儀をしてそばで控え、話の流れの中で、上司から先方に対して「今回のプロジェクトの担当者をご紹介いたします」などと紹介を受けて初めて、名刺入れを取り出して挨拶をする……という流れが適切である。

また、食事の作法を学んだからといって、カジュアルな席においてこれ見よがしに自分の身につけたすべての作法を用いながら食事を進めることは、逆に非礼な立ち居振る舞いで恥ずかしい。

さらに、相手に対しては親切にしているつもりでも、その気持ちが少しでも前に出てしまうと、それは親切の押し売りにすぎなくなってしまう。

そのようなことに関して、伝書には次のように説かれている。

座頭の案内者する事。右の袖をひかえて出でその座のおとなしき仁躰《にんてい》　高下を云いて聞

かすべし

目の不自由な方を案内するさい、その方の手を引いて差し上げるような行為は、かえって目の不自由さを強調してしまう可能性がある。

そこで、案内する人は、自分の袖を目の不自由な方が持って歩けるように少々後ろに引き、目立たずに案内することにつとめた。

さらに、ここでいう「おとなしき仁躰」とは、その席にいらっしゃる高貴な方のことを指す。目が不自由なゆえに、立場の高い方に対して、まったく違う方向に視線を傾けてしまうなどという失礼がないように、またその動作によって目が不自由だということを目立たせてしまわないように、その方が座についたときに向かって左側、右側にどなたがいらっしゃるのかをさりげなく伝えた。それによって、正しい方向でお辞儀をすることができたのである。

## 「取り回し」も相手や状況によって略する

目の不自由な方への気遣いに関して、別の箇所には、

始めより座頭の引くように持ちて出で候てもよきなり。大方この趣《おもむき》然《しか》るべきなり。座頭の前にて取り直し候も如何にて候

とある。相手に物を渡すさいには、取り回しといって、まず物の正面を自分に向けて持ち、さらに相手へ正面が向くように回すことが礼儀とされているが、目の不自由な方に対しては、その動作を省くことを薦めている。目の不自由な方に、一辺倒《いっぺんとう》の考え方で取り回しをすることは、かえってその取り回しの間が、目の不自由さを目立たせてしまいかねない、ということろ遣いからの振る舞いである。

身体の不自由な人と出会ったとき、どのような気持ちで相手に接しているだろうか。もちろん、健康に生まれ、何不自由なく動くことのできる人と比べ、身体に障害を持った人は想像もできないほどの苦労や悩みがあるだろう。しかし、苦労されているだけに、健常者とは比べものにならないほど、はるかに強いこころを持っている人も多くいらっしゃると思う。

本当に相手を思いやる気持ちがあるのならば、相手の不自由さが目立たないように、とい

うこころ遣いからなる立ち居振る舞いが大切なのである。

これは礼法全体に共通することであるが、すべての作法の根底には相手を大切にするこころが存在するからこそ、相手や状況によって作法を略すことができる。しっかりと作法の心得を身につけたうえでの礼の省略は、相手に不快感を与えることなく、さらにやさしい立ち居振る舞いに通ずるということを読者の方々にご理解いただきたい。

## 「残心」——しめくくりに数秒、こころを込める

さて、小笠原流では、「残心」を大切にしている。「残心」とは文字のごとく、相手に対するこころを最後まで残す、ということ。

たとえば、お辞儀を行う際には、必ず残心を取り入れる。お辞儀に礼三息を取り入れることは第2章でご紹介した通りだが、さらに上体が元の姿勢に戻ったあとに数秒、こころを残すこと、すなわち間を取ることで、お辞儀に深みが生まれる。

つまり残心は、こころのゆとりそのものを表すのである。すぐに次の行動に移りたい気持ちが勝ってしまうと、お辞儀の印象が軽くなるので注意しなければならない。しめくくりに

こころを込め、さらには緊張感を持続させることは、剣道で打ち込みの後の態度に重点をおくことにも通じる。

伝書には、

**主人　文をご覧じて火に入れよと仰せあらば御前にて裂き候て持ちて立ち火に入れべし**

とある。主人が手紙をご覧になった後、火にいれて処分するようにと指示があったさい、そばに火がなかったらまずその場で手紙を裂き、次に、火のあるところまで行って手紙を焼く。なぜ裂くのかというと、その場に火がないからといってそのままの状態で手紙を持って退出した場合、主人からしてみると、本当に処分してくれたのかと心配になる可能性があるので、そのようなことがないようにというこころ遣いが働くからである。

あるいは、人を見送るさいにも残心は欠かすことができない。

**人を送り申す次第は賞翫《しょうがん》の方をば次の座にて一送り　縁にて一送り　庭にて一送り是第一也。猶も敬い候得ば門外までも出られ候。其次御座敷にて一送り　縁にて一送り是**

第二也。又次の座敷まで出候て一送り是第三也。

というように、客を送るさい、特に敬う人に対しては門まで行き、見送ったのである。家の外、マンションやビルのエレベーター、玄関など、見送る場所は状況によってさまざまであるが、見送る側も見送られる側も、最後まで相手に対するこころを残し、互いのこころを通わせることが大切である。

たとえば、玄関でお客様を見送った後は少し待ってからかぎをかける、あるいはエレベーターまで見送るさいは、エレベーターのドアが完全に閉まってから数秒経つまで次の動作に移らない、などということだ。

電話を切るさいにも、残心は欠かすことができない。電話は掛け手から切ることが基本ではあるが、相手の立場や相手との関係によって、異なる場合もある。いずれにしても、互いの挨拶が終わるや否や、電話を切ることは失礼である。忙しいなかであっても、互いが挨拶を終えたあと、数秒おいてから受話器を置くくらいのゆとりは欲しい。

「残心」は、「間」である。残心を大切にする男性は、雄麗なこころを持っているに違いない。

# 第4章　男の食作法

## 和食の作法「箸先五分、長くて一寸」

食に関して人一倍興味がある私にとって、連日、仕事上での会食が入っていることは、「苦」ではなく「嬉」である。とはいうものの、年齢を増すごとに、食事のおいしさは食材や料理方法だけに左右されるものではなく、誰と一緒に食べるかが重要な要素であることを痛感している。だからこそ、相手の人からは、一緒に食事をして楽しいと思われる人になりたい。

室町時代においての食事の作法も、こうした考え方が根底にあって成り立っていることを伝書が示している。たとえば、次のような一説がある。

人前にて飯喰い候様さまざま申し候えども前々申し候ごとく貴人を見合わせて喰うべし

食事に関してのさまざまな作法が存在するが、相手の食べるスピードや相手の気持ちに合わせて食事を進めることが最も大切だということである。

相手の気持ちに合わせながら食事をするには、作法にとまどうことなく、こころにゆとりを持つことが前提であり、そのために心得ておくべき食べ方や立ち居振る舞いがある。

たとえば、

再進《さいしん》を請る時は次の上に一礼して次の下の請る間は少し待つ心をして菜などいろいて下の者再進を請てより喰うべきなり

と伝書にある。おかわりを受けるさいには、まず上座の人に一礼してから受けた椀をいったん膳に置き、下座の人のおかわりがくるまでの間はおかずなどをつまみながら待っている気持ちが大事であるというのだが、このように下座の人にもこころを配るゆとりは、現代でも活かすべき心得である。

さて、最近は箸をクロスさせながら持つ人や、握りこむように持つ人など、かえって難しいのではないかと思うような箸遣いをする人が多い。食事ができればそれでよい、という考えもあるであろうが、このような箸遣いで食事をすると、一口分以上の分量を口に運ぶことになる。その結果、口元や箸先を多く汚してしまうなど、相手に不快感を与えてしまう可能性がある。

一方、正しい箸遣いを身につけることによって、細かいものを取る、裂く、ちぎるなどの動作が容易になる。つまり、正しい箸遣いは、器の中で一口に相応しい量を箸でつまんでから口に運ぶことができるのだ。

「箸先五分、長くて一寸」(一寸は約三・〇三センチに当たる)といわれるように、箸先の汚れは少ないほどよい。これは、同席者がこちらの箸先に視線を向けたさい、不快な印象を与えずに済むためにも大切な心得である。

正しい箸遣いは、感謝の気持ちを表すことに繋がる。焼き魚一つとっても、魚の命、魚を獲《と》る人、魚を運ぶ人、魚を売る人、魚を調理する人……とそこにはたくさんのパワーが存在している。こうした食材や人々の労力を頂戴する、ということに対する感謝を表現しながら食事を進めるのは、いつの時代においても忘れてはならないのではないだろうか。

そこで読者の皆様におかれては、ご自身が正しい箸の持ち方をなさっているかを確認していただければ幸いである。正しい箸の持ち方は、次の通りである。

まず、箸は箸先から三分の二あたりのところを持つこと。

上の箸は、人差し指と中指ではさみ、親指で支える。下の箸は、親指と人差し指のつけ根にはさみ、薬指で支えて固定する。

もしも今までは違う持ち方をしていた、という場合は、是非この機会に改められてみてはいかがだろう。

こうした箸遣いに関して、曽祖母から先代に伝えた昔話がある。

小笠原家に仕えていた奥女中たちは、みごとに小笠原流を身につけて客の給仕をしていたという。それだけに、客が帰ると、使用された箸を火鉢の灰の中へ入れ、箸先にどれほどの灰がつくのかを計り、その客の嗜《たしな》みについて語り合ったらしい。何とも意地悪な話ではあるが、箸先の汚れが、その人の嗜みを語ってしまうことは事実である。

さて、食事中や食後、女性と比べて男性のほうが楊枝《ようじ》を使用している人が多いように思うのだが、その心得を身につけている人は少ない。伝書には、

**楊枝を使うこと……(略)……口に手をかざすごとくにしてわきへ向きてつかい鼻紙を取り出して口を拭きつかいたる楊枝をも懐へ入るるなり**

とあり、脇を向いて使用するのはもちろんのこと、使い終わった楊枝は持ち帰ることが当然だったのである。懐に入れることまではしなくても、使用済みの汚れた楊枝の先が、同席者の視界に入らない程度の配慮は忘れないでいただきたいものである。

また楊枝の扱いとともに、男性に注意いただきたいことの一つに、おしぼりの扱いがある。おしぼりは、これから食事をする人の手を清潔にするためにと用意されているものであり、汚れた顔を拭うためものではない。どんなにおしゃれで素敵な人であっても、おしぼりで顔

を拭いた瞬間、品位に欠けた印象を作りかねない。

ところで、「食事の仕方で相手の人柄を垣間見る」といわれることがある。確かに毎日行うことほど、その立ち居振る舞いを通じて、その人のこころの在り方がわかってしまうのは当然のことかもしれない。箸遣いやカトラリーの扱いなど、基本的な食事の作法を身につけたうえで、思いやりの気持ちを忘れることなく食事を進めることのできる人の周りは、常に明るく楽しい空気で満たされているのではないだろうか。

法律家、政治家でありながら『美味礼讃』を残したフランスの美食家、ブリア・サヴァランは、その著書のなかで「人を饗応《きようおう》するということは、その人とともにいる間は始終、その人の幸福を引き受けるということである」といっている。

また、道元禅師の『赴粥飯法《ふしゆくはんぽう》』には、「受食の法は、恭敬《きようけい》して受く」とある。食事を受けるさい、自らを慎む気持ちと、食事に対する敬いのこころが備わっていることが大切だということである。

このように、小笠原流にかぎらず、相手に合わせ、自己を慎み、感謝の気持ちを忘れることなく食事を進めることは、国を越えて、人としてわきまえておくべきこころがまえの一つといえよう。

カジュアルな席においても「箸先五分、長くて一寸」を実行し、周囲に思いやりを忘れない男性の食事の進め方は、料理の味をも引き立たせ、さらには幸福な空間を作る力を持っているのである。

**「酒の作法」——席を楽しくするこころ遣い**

**若き者などは乱舞の座にのぞみて口をつむぎたるは見苦しきものなり**

と伝書にある。人が集まる酒の席において、若者は、所望されたら一通り舞ってみるほうがよいのであって、こうした場において壁の花になるのは見苦しい、ということである。

そのほかにも、

**座によりて立ち候えば肴ある物なれば習うべし**

と、宴会によっては立って舞うことが酒の肴、つまり接待の一つとなるので習っておくようにという心得もあった。封建社会の中でも、自分の立場はわきまえながらも、だまって側に仕えていることばかりが重んじられるのではなく、ときには進んで余興や舞を行い、酒の席を楽しくするようにと心がけることも大切である、というところが現代にも通じて面白い。

このような心得は、一見すると、前述の「目に立たないということ」との整合性に欠けるようにも思えるのだが、決してそうではない。酒の席における、場の雰囲気を楽しくしたいと思う気持ちから成る振る舞いの根底には、常に自分の立場をわきまえ、自分だけを売り込むような行動に通じることがないようにということころがけがある。それがなければ、この心得は成立しないのである。

現代の酒の席においても、心得のある人は、いつまでも周囲の目が自分だけに向くようにするのではなく、場が盛り上がって全体が楽しい雰囲気になったところで、自然に自分の存在を消すことのできる配慮があることと同様である。

また、

いささかも油断なく気をつかうべし。殊《こと》に酒盃に酔い候えばこころがけてさえ落度あるものにて候とあり、当時も酒の席での失敗が多かったことがわかる。出陣のさいには現代の三三九度にあたる式三献《しきさんこん》が行われ、中には一九献という場合もあった。一献ごとに肴が変わるため、膳の数は三〇を超えるものもあったのだ。

そう考えると、当時の武家社会においては、現代よりも酒がつきものであり、だからこそ『酌之次第』という酒にまつわる作法のみを説かれた伝書が存在したのであろう。

さて、盃の酒を飲むさいの心得に、

一つゆとは酒をすきとのみて下を捨てるに一露おちたるを申し候

あるいは、

一文字と申し候はこれも下にて一文字を引き候に下多く候えばならず候。また下候わねば一文字引かれず候。この二つの呑みよう大事にて候とある。差された盃の酒を飲み、盃を振って飲み残した酒を捨ててから盃を返すのだが、その盃を振るさい、ちょうど一滴だけ酒が落ちるように飲むのがよいということ。なぜならば、一滴も残さず飲み干すのはあさましく見え、だからといって頂戴した酒をたくさん捨てることもよろしくないからである。当時は清酒ではなくてにごり酒であったことを想像していただくと、イメージが湧くのではないかと思う。慎みのこころと、相手の敬意を無にすることのない限界を表現できるのが、一露であり、一文字なのだ。

また、女性の使用した盃に対しては、

## 女の盃に口をつけて呑むべからず

とあり、相手の身分が高くても、女性が口をつけた盃を用いることはしてはならないという心得が重んじられていたようである。

このように、酒一滴に対しても細やかなこころ遣いがされていたことを思うと、当時の武士は酒の席においても真剣なこころ持ちであったことがうかがえる。一つの茶碗を用い、仲間同士で茶を飲み合うなかに、「一味同心《いちみどうしん》」の団結がかためられていったように、武士たちは同じ盃を酌み交わすことで、お互いの信頼の証を認め合ったのであろう。

気が緩《ゆる》みがちな酒の席においてこそ、周囲への気遣いを忘れない男性に対する信頼度は高まるものである。酒を酌み交わすことは、その人の素《す》の姿を見ることのできる、大切な機会なのかもしれない。

**「酌の心得」——下戸への気遣い、女性への気遣い**

小笠原流には、酒を受ける作法のみならず、酌をするうえでの心得も多く残されている。

**下戸は盃をとりざまに御酌の顔を見るべし。是は下戸というしるしなり。酌　心得べし**

酌を受けるさいに酒が飲めない人は、盃を受取るとすぐに酌人の顔を見る。酌人は、このしぐさで相手が飲めないことを察して、お酒を注《つ》ぐ真似をしたのである。

この伝書からもわかるように、酌をする人も、受ける人も互いに心得がなければ、意思を通わせることは難しかったわけだが、ときに酌人がこの「お酒を飲めません」のサインがわからずにお酒を注いでしまうこともあった。それに対して、

**酌心なくして入れられたらば力なくすきと呑むべし**

と説かれている。酒の飲めない人に、注がれてしまった酒はあきらめて飲んでしまうようにというのは厳しい心得である。だが、「力なく」という表現に武士のユーモアを感じる。

また、小笠原流には酒の注ぎ方に関する作法も存在する。最初と最後は鼠《ねずみ》の尻尾程度に少なめ、中間は馬の尻尾程度に多めに注ぐようにすると、酒をこぼす粗相がないのである。これを「鼠尾《そび》、馬尾《ばび》、鼠尾《そび》」という。この心得は酒に限らず、飲み物を注ぐさいにも応用できるので、是非覚えていただきたい。

また、前述以外にも、下戸へのこころ遣いを読み取ることのできる心得がある。

**二度は心得をして三度目をつぐとは二度つぐまねをして三度目をつげようとなり。しかれば酒少しなり**

儀式のさいに酒はつきものだったが、この時代においても、上戸、下戸ともに存在していたわけである。だからこそ、そうした人へのこころ遣いも必要であり、祝いの儀式のさいには、二度は注ぐ真似をし、三度目のみ酒を注ぐことで下戸の人の負担を軽くするようにとの心得も存在した。

神に酒と食べ物を供え、神事のあとにそれらをいただくことを「直会《なおらい》」という。農耕民族であった日本人にとって、家族や親戚との血縁や、農作業をともに行う人々との地縁に対する結束を強めるために、神の召し上がった酒を一同で飲み、食べ物を食べることは、欠かすことができなかったと思われる。言いかえると、神からのお流れをともに頂戴することにより、人々のこころは一つになったのであろう。

こうしたことから、盃事《さかずきごと》はあらゆる儀式に欠かすことのできないものとなり、武家でも酒にまつわる作法が確立され、大切にされていったことがうかがえる。

さて、ワインなどに関しても同様であるが、基本的に酒の席では女性に酌をさせない、ということも心得ていただきたい。ただし、女性の側も、男性に手酌《てじゃく》で酒を注がせることは申し訳ない気持ちがあることも事実である。そのような女性の気持ちを察した場合は、「では、最初の一杯だけお願いします」と、初めの一杯だけ酌をしてもらい、二杯目からは徳利《とっくり》を盃の側に置き、自分で注ぐ機転も大切である。

酌に関してでも目に立たないこころ遣いができる男性は、あらゆることに機転のきく人なのではないだろうか。

## 「宴席」――知り合いの人以外とも会話をする

パーティや結婚披露宴などにおいて席についたあと、出席者が忘れてはならないのは、同じテーブルの人との会話を積極的に行うようにと努めることではないだろうか。

宴席でいつも感じるのだが、日本人が改めるべき点は、知り合いの方とばかり会話をすることである。一人で出席されている方のことも考えると、互いに挨拶を交わし、会話を弾ませるようにこころがけることは、出席者として当然である。

さて先日、知人の結婚披露宴に招かれたさい、隣の席にはその日のためにアメリカから出席された、品格のあるすてきなご婦人が座っていらした。しばらく話をしていくうちに自然と意気投合し、今では時折、Ｅメールのやりとりをしている。このように、新たな人と人との和が生まれるのは素敵なことである。

ただし、初対面の人には会話を進めるうえでの話題に注意が必要であり、また他の人と話をしている隣人に話しかけることも控えるべきである。このような状況に通じる心得として、

**御主の御機嫌も知らず物を披露するは然るべからず。よく時宜を伺い候て何事も申すべき事なり**

と伝書にある。主人の気持ちの状態をわからないまま、話しかけることは控えるべきであり、時・場所・状況を考えてから伝えようとするこころ配りが大切である、ということ。現代においても、プライベートのことや相手が好まないであろう話題を控えるなど、相手の気持ちや状況を見極めてから話しかける気遣いを忘れてはならない。

また、主催者やその関係者が会場をまわり、出席者に酒を注ぎ、振る舞うことがもてなしの一つとして考えられている地域もあるかと思う。しかしながら改まった席では、そのような行いが落ち着きのない空気をつくってしまい、マナーに反するという考えがあることも忘れてはならない。

だからこそ、出席者がむやみにお酒の瓶を片手に持って歩き回り、あちこちで酌をしながら会場の雰囲気を壊してしまうことは慎むべきである。その日の主役は誰であるかを心得、節度を持って振る舞わなければならない。

お祝いの席に同席するからには、時・場所・状況に応じて、自分がどう振る舞うべきかの判断を誤ってはいけない。その場に応じた振る舞いをこころがけることは、ゲスト側の責任なのである。

# 第5章　男のことば遣い

## 「言霊」——思いさえあれば通じる……は自己中心的

「言霊《ことだま》」。私はこのことばの響きが好きである。昔は「言霊」といって、ことばには不思議な力が存在するとして、ことばそのものを大切に考えて発していたのである。現代においても、「言霊」とまでもはいかないものの、ことばを大切にする精神を失ってはいけない。

だが昨今では、ことばの乱れがエスカレートするばかりで、長い年月の中で受け継がれてきた美しい日本語を身につける術《すべ》さえ失われつつある。

本来、ことば遣いは家庭で躾けられるものだが、親となる世代の人でも、ことば遣いの心得が減るばかりなのだから、こどもが乱雑なことばを用いても仕方がない。ゆえに、社会人になっても、上司や取引先の方に対して敬語を用いずにラフなことば遣いで会話を進めている人が少なくないのだろう。

しかし、美しいことば遣いは日本文化の大切な財産の一つと捉え、伝え受け継いでいく意識を個々に持つべきではないかと思う。

美しいことば遣いとは、敬語を身につけることのみを指すのではない。声の大きさ、ことばを発する間《ま》、速度、イントネーション、顔の表情……など、ことば遣いに付随する多くの心得を身につけ、さらには実践して、初めて相手の耳にそれぞれのことばが一つの美しい流れと響きになって届くのである。

たとえば、声が大きいのは活気があってよいとされることもあるが、必要以上の音量で話をすることは、その人の品性に関わってくる。その場に適した音量で声を発することも、美しいことば遣いに関する心得の一つなのである。

次に、「間」を大切にできない人は、ことば遣いの配慮に欠けている人だと思う。好ましいコミュニケーションには、一方通行で話が進むのではなく、「話すこと」と「聞くこと」

のバランスが必要だ。

また、相手に対する思いさえあれば気持ちは通じ合える、というのは自己中心的な考え方である。日頃からこころを込めて話すのは当たり前であり、そのうえで自分の思いを相手に伝えられるように、相手の気持ちを察しながら会話を進めることによって、円滑なコミュニケーションが維持されるのではないだろうか。

さて、最近は人前にもかかわらず、上司の話にことばをはさんだり、第1章でも触れたように、諫言《かんげん》めいたことをいう部下の姿を見ることがあるが、表立って上司に諫言することは感心しない。上司が誤りを犯すまでそのことを見過ごしておきながら、それが表面化した段階になってから人前で諫言するなどということは、社会人として無責任な対応に過ぎない。

またこのようなケースのほかにも、上司に対して自分では気づかないうちに失礼な表現で話をしていないかどうか、時折、自分自身のことば遣いを振り返ることも大切である。

たとえば有意義な話を聞いたあと、相手に感謝の気持ちを伝えることがあるとしよう。そのようなとき、「参考になりました」という表現は、上からものをいっているような印象を与える可能性があり、相手に失礼である。

このようなときは、「貴重なお話を頂戴し、ありがとう存じます」などと、誤解のない表現で素直に気持ちを伝えることが大切である。

いずれにしても、美しく正しいことば遣いは、決して女性だけのものではない。若い世代の男性が豊富な語彙《ごい》で丁寧に話をしていると、こちらも嬉しい気持ちになる。同じ内容を伝えるにも、乱暴なことば遣いで話されると、それだけで印象が悪くなることは否めない。

先人たちの残してくれた美しいことばを現代に生かせるかどうかは、今を生きる私たち、ひとりひとりの責任に委ねられている。そのことにもっと関心を持つべきではないだろうか。ことばは、いつの時代にも生きているのだから……。

## 「敬語の使い方」――時・場所・状況に応じ、過剰表現を避ける

敬語の由来は、階級社会の出現と関わりがあるといわれている。三世紀のわが国には、すでにことば遣いが階級によってわかれていたとされている。

また、原始語に敬語は存在しないことを考えると、文化が進歩するに連れて、ことば遣いも発展を遂げてきたことを忘れてはならないのではないか。

さて、敬語には相手を敬った表現をする「尊敬語」と、自分自身がへりくだった表現をすることで相手を敬うことにつながる「謙譲語」がある。さらに、「お」や「ご」をつけたり、文末を「です」「ます」にすることで丁寧な印象をつくる「丁寧語」がある。

最近では、謙譲語を「謙譲語」と「丁重語」に、さらに丁寧語を「丁寧語」と「美化語」に分けて、従来の三分類から五分類にするという考え方もある。

敬語で大切なことは、こうした分類法を覚えることよりも、丁寧さをこころがけながらも過剰表現にならないこと、また尊敬語と謙譲語を正しく用いることである。二重三重敬語はかえって耳障《みみざわ》りであるし、へりくだった表現である謙譲語を相手の表現に使うことほど、相手に対して失礼なことはない。


ところで、「すみません」が頻繁に使用されていることに疑問を感じることがある。本来、「すみません」は、お詫びのこころが尽くしきれておらず、済んでいないことを表している。「すみません」は「許してください」という意味なのだ。だが、ドアを開けて差し上げたさい、相手から「すみません」ということばが返ってくる。資料を渡したさいにも「すみません」、レストランでお店の人を呼ぶさいにも「すみません」……。

　おそらく、労力をかけたことに対する申し訳ない気持ちを「すみません」に込めているのだと思うが、意味からすると「ありがとう」、あるいは「おそれいります」と伝えるほうがこのような状況に当てはまると思う。

　そのほかに気になることば遣いは、「〜のほう」や「なる」を不適切に用いるケース。たとえば、文具店に以前から欲しかった万年筆を購入しようと出かけ、お店の人に希望する万年筆の品番を伝え、その商品を実際に手にとって見せてほしいと依頼したとする。

　このようなとき、お店の人は「こちらがご希望の万年筆のほうになります」ではなく、「こちらがご希望の万年筆でございます」と伝えるのが好ましい。「〜になります」といわれると、渡されるものが別のものからそのものに変化するニュアンスが含まれるようにも思えて違和感がある。オフィスにおいても、ファックスの送信書に「ご依頼の資料のほうになります」などと書くことがないように注意するべきである。

　また「〜のほう」は、対象となるものが一つの場合には適さない表現である。つまり、「〜のほう」は、コートと傘を持っている人に「傘のほうをお預かりいたします」、と選択や比較するものがあるときに限定して指す場合に用いられる。したがって、何本もディスプレイされている万年筆の中から一本を選択したのではなく、最初から対象となるものが一本の場合には、「〜のほう」は不自然である。

美しいことばの歴史を持つ国に生まれ育ったのにもかかわらず、こうした違和感のある表現や不自然な表現をしていることに気がつくこともなく、一生を過ごしてしまうのは惜しいとは思われないだろうか。

敬語は、先人たちが生み出した、人間関係を円滑にするための知恵なのである。とはいうものの、敬語を用いる「かたち」にばかりこだわりすぎると、かえって冷たい印象を与えかねないことには注意が必要である。

**「手紙」——礼儀と鮮度**

先代が存命中、時間があると部屋で手紙を書いていたことを思い出す。そのようなとき、私は部屋へ呼ばれ、互いにことばを発することはなく、ただ先代の傍らで墨をすり、その墨の香りにこころを和ませたものであった。

こうして書かれる手紙は、初めてお目にかかった方、お世話になった方、門弟など、あて先はさまざまであったのだが、常に筆先にこころを込めて文字をしたためている姿は、無言のうちに多くのことを語ってくれたように思う。なかでも特に大切な手紙は、折紙（奉書紙を横二つに折って書く形式）を用いていたことを記憶している。

　折紙で手紙を受取ることがほとんどない現代において、このような手紙を受取った多くの方は喜んでくださったようで、今でも先代からの手紙を大切に保管してくださっていると伺うことがある。こうしたお話を伺うたび、文字によるコミュニケーションの素晴らしさを痛感する。

　さて、昨今、特に若い世代に最も活用されている、文字を使用してのコミュニケーションツールは、Ｅメールだろう。だがＥメールは、便利だからこそ、一方的で略式的なコミュニケーションツールであり、人に依頼をする場合や御礼を伝える場合、手紙に勝るものはないことも事実である。

　また、改まって手紙を書くさい、特に目上の方に宛てたものは、白の便箋と封筒を用いることが好ましい。その場合は、筆もしくは万年筆で書くこと。ボールペンは、簡易的な印象があるので使用しないほうがよい。

　小笠原流の伝書には、「書礼法（書礼の次第）」といって、手紙に関する心得がまとめられているものがある。そこには、改まって書簡をしたためるさい、書状を一枚の紙で書き上げた場合は、「礼紙《らいし》」と呼ばれるもう一枚の白い紙を重ねて相手への敬意を表す、と書かれている。現代と比べて、昔は紙が貴重だったので、白紙を重ねることは、礼の表れの一つだったのであろう。

近ごろでは、手紙を一枚のみで書き上げた場合に白紙の便箋を一枚つけることは無意味である、といわれることが少なくない。だが、こうした理由を知ると、白紙の便箋をつけたいと思われるのではないだろうか。

手紙の構成は次の通りである。

《前文》

①頭語

②あいさつ文（時候の挨拶・相手の繁栄、活躍、健康などを喜ぶ挨拶）

③お世話になっていることへの感謝

《主文》
④転語・起辞（「さて」など、接続詞や接続語を用いて前文と主文をつなぐ）
⑤用件

《末文》
⑥結びの挨拶
⑦結語

《あとづけ》
⑧発信日
⑨差出人名
⑩宛名
⑪脇付《わきづけ》

《追って書き・副文》

書き残したことや追記したいことを「追伸」などに続けて書く。目上の方や改まった場合には用いないこと。

①の頭語、⑦の結語にはさまざまあるが、それぞれに意味があり、それを理解したうえで用いていただきたいと思う。

たとえば、「拝啓」の頭語で始まれば、「敬具」が結語である。拝啓の「拝」は「おじぎ」、「啓」は「述べる」という意味なので、つつしんで申し上げますということ。敬具の「具」は「述べる」を表すので、「つつしんで申し上げます」という意味となる。このように始めから最後まで、それぞれのことばには意味がある。

また⑪にある、「脇付《わきづけ》」というのは、直接相手に手紙を手渡すことを遠慮し、相手の住まいや仕えている人宛に送る、という控えめな気持ちを表すものである。宛名の左下に小さめの文字で書く。

例えば、「机下《きか》」と書く場合は、相手の机の下へこの手紙を慎んで差し上げます、という意味である。脇付にはそのほかにも、「御侍史《おんじし》」「足下《そっか》」など多数あり、女性に対しては「御《おん》前《まえ》に」「御許《みもと》に」などを使用する。脇付を用いるさいは、便箋の宛名、封筒の宛名、どちらにも書くこと。

さて、相手の個人名の下に書く「サマ」には三通りの文字があることをご存知だろうか。昔、「サマ」は、高位な人に対する手紙に用いたのだが、そのなかでも上の上の人には「樣」、上の中には「様」、上の下には「様」をそれぞれ用いたのである。

現代において、こうしたサマの使い方に決まったルールはないが、せっかくならば、日常使いには「様」を、尊敬や感謝の念を強く持つ相手にはあとの二つを使用してみてはいかがであろうか。

さらに、はがきは誰からも内容が読まれてしまう可能性があるので、略式なものである。したがって、目上の人に差し上げるのは相応しくない。使用したいはがきがある場合は、そのはがきを封筒に入れて送ることをおすすめする。

また、伝書に、

総じて女房殿には賞翫《しょうがん》して書くべし

と説かれている。女性への手紙は、大切に書くべし、ということである。さらに続けて、

## 文書はすくすくと男のことばを書くべし

ともあり、やさしい気遣いの中にも男性としての誇りを失わないようにこころがけることは、手紙を書くうえでも必要だったことがわかる。

字の上手下手ではない。書き手が相手への思いやりを忘れることなく、思いを込めて丁寧に手紙を書くことによって、相手に対する気持ちは通じるはずである。そのためには、手紙を書くタイミングを逃してはならない。

こころに届く手紙をしたためられる男性は、手紙に鮮度があることを知っている。

## 「毎日の挨拶のことば」を丁寧にしてみる

毎日行う挨拶は、どうしてもお座なりになりがちである。たとえば、自宅を出るとき、どれだけの人が丁寧にこころを込めて、「行ってきます」「行ってらっしゃい」などと家族に向

かって挨拶をしているだろうか。

あるいは、朝の満員電車に揺られた後に会社へ到着し、他の社員やスタッフの人々と交わす挨拶を、小さな声で力なく「おはようございます」といってしまうことがあるかもしれない。

目覚めてから家族と対面するさいの「おはようございます」にも共通するが、相手の挨拶がすがすがしい印象だと、こちらの気分もよいものだ。ならば、相手の丁寧な挨拶を待つのではなく、自ら活気ある挨拶をするべきではないだろうか。

さて、私は幼い頃に、毎日行う挨拶こそ丁寧に行うことが、相手を敬う立ち居振る舞いにつながり、それは家族に対しても忘れてはならない、と厳しく躾けられた。「親しき仲にも礼儀あり」は、毎日の挨拶には欠かせないということなのだろう。


先代が存命中は、先代が道場へ到着するや否や、玄関へ出迎えることはもちろんのこと、先代が部屋に入った後、しばらくして落ち着いた頃を見計らって改めて部屋の前に座る。さらに「失礼いたします」と声をかけてから襖を開け、扇子を前に置き、「ごきげんよう」と挨拶を行うことから一日が始まったのだが、それはただ単に上辺《うわべ》だけの決まりごとではなかった。

こちらは明るく笑顔で挨拶をしているつもりでも、「何か心配ごとがあるのでは」と先代から尋ねられたことは何度もあった。おそらく私の声の表情から、心身の状態を察してくれていたのであろう。その応対から、毎日行う挨拶だからこそ、いい加減に行うのではなく、大切にするべきであると、身を以って学ぶことができたように思う。

さて、伝書に、

**主人の左の膝をまほって申し承るべきなり**

とある。まほる、というのは目で掘ること、つまり見ることを意味する。主人に対しては、直接顔を見て話をすることはせず、主人の膝あたりに視線を向けて話すように、と説いている。さらに続けて、目上の人であっても、それほど高い立場の人でない場合は、相手の袖あたりに目線をおくようにともある。

武士は、

## 同輩ならば顔を見て申すべし

と、同輩程度の人同士でなければ、顔と顔を合わせて話すことが常ではなかった。現代の私たちからすると、相手の目を見て話さないことこそ非礼であると考えてしまうが、ここにも慎みの気持ちから発する振る舞いがあったことがわかる。

しかし、相手の顔を見ずに話をするのは大変難しかったのでないかと思う。なぜならば、自分の放《はな》ったことばを相手がどのように受け止めているのかを、確認しながら話を進める術がなかったからだ。

そのように考えると、現代のように、相手の表情を確認しながら話をすることが許されるのは、コミュニケーションを円滑にするうえで大変ありがたいことである。だからこそ、挨拶をするさいには、相手に視線を向けて口上を述べることが大切だ。

また、丁寧なことばを用いたからといって、相手のこころが開かれるわけではない。形式だけの丁寧なことばは、どこかが薄っぺらな印象で、そこにこころが存在していないことなど簡単に見破られてしまう。

さて、先代や祖母が幼い頃は、「華族ことば」というものが存在していたという。たとえば、「おみおてずまし」は「手を洗う」、「おすべしする」は「下げる」、などと現代では意味が理解できないことばを用いていた。さらに、親子や兄弟姉妹間では、それぞれに敬語を用いる段階が異なり、相手が誰であるかによってことばが遣い分けられていたという。

だが、すきがなく、一定の間隔をあける話し方は、裏返すと家族とのこころの交流にも大きな隔たりをつくることとなり、ことばの冷たさや、それぞれの立場を強調するがゆえの寂しさのような印象を兄弟姉妹のお互いが持っていたらしい。ここまでくると、敬語も、用いさえすればよいという単純なことでもないように思う。

いずれにせよ、ことばには自分の思いを託す気持ちが大切である。私は、自宅でもオフィスでも、顔見知りの方や知らない方とともにエレベーターに同乗するとき、あるいは廊下ですれ違うとき、「おはようございます」「こんにちは」「こんばんは」と声をかけるようにこころがけている。すると、ほとんどの方は、お辞儀だけでなくことばを用いて挨拶を返してくださる。中には、その挨拶がきっかけとなって、「今日はよいお天気ですね」「これからお出かけですか」などと話してくださる方も少なくない。

日本には、外国のように、「Hi!」と見知らぬ人に対しても、笑顔で気軽に声をかける文化は浸透していないが、同じ空間にいる人同士くらいは、知らない顔をするよりもさわやかな挨拶を交わしたいものである。それには、たったひとことであっても、丁寧にこころを込めてことばを発するこころがけを忘れてはならない。

温かい印象の中で丁寧なことばを自然にかけられる男性は、表情にも温かみが表れている人である。

# 第6章　男のつき合い

## 「諫臣を持つ人、持たない人」

日常のみならず、ビジネスシーンで求められる礼儀作法もまた、部下が心得るべきことであって、上司には必要ないことと思う方がいらっしゃるのではないだろうか。つまり、下から上に対する一方通行の礼ばかりに重きが置かれる傾向がある。しかしながら、昔の武士は決してそのようには考えていなかった。

伝書には、

諫臣《かんしん》とてつねにわろきことをいさめ申す人のはんべるが　なによりめでたきことにて
薬は苦けれ共よく身をたすけ　毒はあまけれ共のちに病をなす。むかしのかしこき帝は
諫臣聞きてその人を拝し給えしといえり

とある。つまり、自分に都合の良いことばかりをいう部下ではなく、時には少々辛口のこともいってくれる部下を大切にすることこそ、人の上に立つ者として相応しいこころがけであった。室町時代のように封建制度が確立された時代下だったからこそ、こうした考えを持っていることが重要だったのかもしれない。

それは現代においても同様であり、上司のご機嫌ばかりを伺っている部下を周囲に配置することや、上司に問題提起をできないような空気をつくってしまうことは、結果として大きな問題を招く危険性がある。ただし、諫言する側は、前章でも触れたとおり、状況をよく判断したうえで自分の考えや思いを伝える配慮を忘れてはならない。

また、諫言を聞くだけでなく、日頃から部下とは雑談の時間を持つことも大切である。普段からコミュニケーションをまったく持たずして、部下が実際の業務を進めるうえでどのよ

うなことに迷いがあるのか、問題点はどこにあるのかなどについてわかるはずもなく、まして部下のモチベーションを上げることは難しいのではないかと思う。

すでにわかっていることであっても、それをあえて知らない振りをして部下に尋ねることで、部下とのコミュニケーションが育まれる場合もある。

中国の思想家、孔子は、相手に尋ねる必要がなくすでにわかっていることであっても、相手がそれについて詳しい知識を持っているのならば、あえて尋ねてみることもまた、礼の一つであると説いている。

あるいは自分が知らないことを部下が知っている場合、それを素直な気持ちで受け止め、部下に接するこころの広さを持つことも重要である。上司だから部下よりもすべてにおいて秀でていなければならない、などということはない。知らないことを知っているような素振りをしながらその場を過ごすほうが格好悪い。

さて、ある企業の社長で、私自身も大変尊敬している方がいらっしゃるのだが、その方はご自身が知らないことには、まるで少年のように眼差《まなざ》しをきらきらとさせて、周囲の話に真剣な態度で耳を傾けられる。

さらに話の最後には必ず、「またひとつ、新しいことを知ることができてよかった」と、満面の笑みで周囲に語りかけられる。

　この方のように、社会的地位が高くなろうとも、相手の話を真摯《しんし》に聞くことのできる人柄は、自然と部下からの信頼度を高めるのではないだろうか。


　「聞く」ということは、いくつかの段階に分けることができる。

　まず、意識をしていなくても周囲から話が聞こえてくる、という程度の「聞く」は最も段階が低い。

　次に、相手の話に集中して聞いているわけではないが、取りあえずは聞く意思をもっている段階。

　その次は、注意をして話を聞く段階。

　もう少し進むと、注意よりさらに意識を集中させて話を聞く段階がある。この程度になると、ラポールが必要となる。ラポールとは、フランス語で、関係〔relation〕や報告書〔report〕を指す。コミュニケーションやコーチングの世界においては、「信頼関係」や「お互いのこころに橋が架かった状態」の意味で使用される。

　武家社会にラポールということばが存在するわけはないのだが、このことばを聞くたびに思い出される伝書の一説がある。

## 仁はみずからをわすれ他をはぐくみ危きを救う

自分の考えを貫き通そうとするのではなく、相手を尊重したうえで問題を解決するためには、こころをかたむけて話を聞き、現状を把握しなければ対応できるわけがない。それこそが、部下に対する思いやりともいえよう。

このラポールは、上司と部下との関係に必要不可欠である。ラポールを高めるには、相手に対する温かいこころで、誠意を持って話を聞こうとすることが重要。「取りあえず話を聞こう」と思っている人と、「相手の立場で話を聞こう」と思っている人は、ことばに出さなくても自然にその思いが相手に伝わってしまう。

さらにラポールよりも進むと、話に対する疑問や尋ねたいことへの答えを得ようと、「訊く」段階となる。人の話を聞くことが上手な人は、質問上手な人でもあるのだ。

苦手に感じてしまう部下ほど、最初から否定的な気持ちで話を聞くのではなく、こころを傾け、どこかに共感できる点はないかと努めることを忘れてはならない。

「毒」は甘く、「薬」は苦いことを理解し、こころ素直に聞く耳を持つ上司になりたいものである。

## 「察し合うこころ」――褒めるさいにも自分の立場をわきまえる

故人も礼の用　和を貴《とうと》むとかや仰せられし由　承りおよび候なり

という一説が伝書にある。昔からいわれているように礼の作用というのは和を重んじることである、ということ。ここでいう「和」とは調和のことで、相手や環境を考えながら、臨機応変に対応することが大切なのである。

誰しも、褒められて嫌な気持ちになることは少ないだろうが、その一方で、度が過ぎるとかえって嫌味のように受け取られてしまう可能性もある。さらに、人を褒めるさいにも自分の立場や相手との関係を考え、自己を抑制し、相手のこころを察しながら、周囲の状況を判断することが必要である。

たとえば、部下の仕事ぶりを褒めたいと思ったさい、褒めことばを伝えるタイミングが大事である。その場に他の部下が同席している場合は、彼らのモチベーションやそれぞれの人間関係を考慮し、すぐに褒めることを控え、タイミングを見計らって、後でその思いを伝えることもあるだろう。

また実際に相手を褒めるとき、こころから発することばでなければ意味がない。褒めことばとはいうものの、気持ちの込められていないことばは、相手のこころに届くはずもないのである。

それには、相手の長所に対して素直に目を向けること。そのさい、自分の物差しで相手の長所を見つけようとしてはならない。以前にも触れたが、人はそれぞれに「分際」というものがある。上の立場から下を見下すような考えを持つことや、自分を基準にして部下の能力を評価してしまうことがあるのならば、相手を褒めることは難しい。したがって、相手を基準として、日頃の努力によってどれだけの成長を遂げたかということを褒めるべきである。

さらには同僚に対しても、素直なこころで相手の成果や努力を認め、それに対することばがけができるゆとりを持ちたいものである。

ところで、相手の長所を見つけるためのポイントとして、「観察」ということばを改めて考えてみたいと思う。

「観」は「みる、しめす」、「察」は「みる、しる、さっする」などの意味がある。つまり、相手のこころ深くまで観て、思いを察することが「観察」なのだ。この「観察」なくして相手を褒めることはできない。

「人の己を知らざるを患《うれ》えず、人を知らざるを患えよ」という孔子の教えがあるが、まさに人が自分のことを知らないことを心配するよりも、自分が人を知らないこと、つまり認めていないことを心配するべきなのである。

こうした察し合う文化は、日本の生活環境のなかで自然と受け継がれてきたものだった。その代表的なものが、「襖《ふすま》」である。襖は、ドアに比べてもろく、鍵もない。隣の部屋へ話し声が筒抜けになってしまう。だが、いつ、誰が侵入してくるかわからない襖は、互いを尊重し、察することによって、何にも増して頑丈《がんじょう》な扉の役目を果たしていたのである。

先代によると、明治期頃、小笠原家に仕える家令は、廊下を足音一つ立てずに歩き、襖のそばまでくると、軽く咳をする程度の音を発したという。それにより、部屋の中にいる主人は、家令がきたことに気がついたのであった。すると、中にいる主人は相手を迎え入れる態勢をとり、「誰か」と声がけをする。そこで家令は初めて「○○でございます」と声を発し、襖を開けるのであった。

このように、お互いが察し合うこころを我々日本人は誰もが持っていたはずである。さまざまな文化が混在する現代において、鍵なくしては安心して生活が送れないことと同様に、察し合うこころを誰とでも持ち合うことは難しい。だが、相手を察することを最初から諦めてしまいたくはない。

「君子は和して同ぜず　小人《しょうじん》は同じて和せず」。徳を持って人と交わり、上辺だけで相手を判断することなく、相手のこころを察し、和を貴ぶことのできる人になりたい。

## 「先ず我が馬を道下へ打ちおろして礼すべし」

武士の間では、たとえ相手より自分の身分のほうが高かったとしても、道を譲ってもらうことが当然だという考えは存在していなかった。むしろ、上から下へ、下から上へと、お互いの社会的地位を認めたうえで、お互いを思いやるこころが存在し、さらにそのこころを行動に示し、互いのこころの交流が無言のうちにも行われていたのである。こうした配慮に通ずる教えが伝書に残っている。

先ず我が馬を道下へ打ちおろして礼すべし。また人も必ず打ちおろすべし。賞玩ならば相手の見る方の沓《くつ》をぬぎ礼すべし。沓履かずば鐙《あぶみ》の礼あつく少しの間ひかえて通るべし。目下の者ならば道へうちおろしたるまでにて礼あるべからず

自分も相手も、馬に乗っている者同士、路傍にのりおろして礼をする。相手が目上の場合には、相手に見える側の沓、鐙を外して、わずかの間であっても停止して礼をする。相手が目下の場合には、路傍に馬を打ちおろすのみで礼はしないわけだが、このように路上での馬上におけるすれちがいの礼までもが定められていた。

こうした上から下に対する礼は、武士のみならず、現代社会にも活用するべきである。たとえば、オフィスにおいて毎日お茶を運んでくれる人に対して、業務が慌しい最中にこころを込めて「ありがとう」を伝えるのは、容易なことではないかもしれない。たとえ時間的ゆとりがあっても、日頃から当たり前と感じてしまっていることに対して、改めて感謝を伝えるのも難しいことである。

だが、当たり前と思っていることにこそ、部下はたった一言でも上司から「ありがとう」

を伝えられることによって、こころのモチベーションが上がる可能性があるのではないだろうか。

また、「ありがとう」の気持ちを文字に託して伝えることによって、相手とこころを通い合わせるきっかけが生まれることもある。

たとえば、難題を抱えていた仕事が達成されたとする。このようなとき、ともに働いてくれた同僚や部下に対して、たった一言でも直筆で感謝の気持ちを込めて「ありがとう」と記したカードを、普段よりも早めに出勤して相手のデスクの上に置いてみる、などというのはいかがだろう。こうしたさりげないこころ遣いが、周囲との絆《きずな》を深めるきっかけになるのではないかと思う。

また「ありがとう」の気持ちは、同僚に対しても忘れてはならない。何かを手助けしてもらったときにだけでなく、そばに置いてある資料を取ってもらったさいにも「どうも」で済ませるのではなく、相手の顔を見ながら笑顔で「ありがとう」を伝えることが同僚との和を育むことに繋がるであろう。

これは、家庭においても大事な感謝のことばである。自分を育ててくれた親、家事をこなしてくれる妻、家庭を明るい空気で包んでくれるこどもに対しても、「ありがとう」は忘れるべきではない。

いわなくても相手への感謝の気持ちは通じているはず、と思うことには甘えがある。日々お世話になっているからこそ、ときには感謝のことばを口に出して思いを伝える必要があるのだ。一日を通じて「ありがとう」を伝える場面は至るところにあり、それを伝えることによって、相手のみならず、その場にいる自分もやさしい空気に包まれることは間違いない。

「ありがとう」は、幸せをもたらすことばである。もしも最近、このことばをいう機会が減っていると感じることがあるのならば、感謝のこころが薄れ、気持ちに余裕がなくなっている可能性があるのではないかと振り返ってみることが大切だ。

幸せは、自分のこころのなかに存在する。幸せをこころで感じる、その大きなきっかけとなることばが「ありがとう」なのである。

## 「水は方円の器に随うこころなり」

第一印象を良くしたいとこころがけることは、ビジネスの場のみならず、プライベートの場においても重要なことである。

第一印象は、数秒、長くても一五秒ほどで決定し、さらには、ことばによって決定される印象よりも、見た目から判断される印象の割合が高いといわれている。目から入る要素として「身だしなみ」と「基本動作」、これに耳から入る要素として「ことば遣い」を加えた三つの柱で第一印象は決定されると、私は考えている。

身だしなみには二つの側面があることを忘れてはならない。一つは自己を満足させるための身だしなみ、もう一つは他人に不快感をあたえないための身だしなみである。

もしも自分本位に身だしなみを整えてしまうと、他人に不快感を与えてしまうことがあり得る。だが、他人に不快感をあたえない身だしなみをこころがけると、当然のことだが他人から好感を持たれる。そう考えると、周囲の印象を考えながら身だしなみを整えることは、決して悪いことではない。

また、第一印象を決定づける、目から入るもう一つの要素、「基本動作」については、第2章でご説明した通りである。

さらに、耳から入る要素も第一印象を構成するうえで欠かすことができない。第5章でご紹介したように、ことば遣いは声のトーン、イントネーション、話す速度などを含めて心得ておくべきことがあり、それらによっても印象は決定されるのである。話の内容は、第一印象を決定するうえで大きな割合を占めないとはいわれるものの、美しいことば遣いやわかりやすい表現で好印象をつくるようにこころがけることは重要である。

もちろん、初対面の印象が悪いと、次回以降お目にかかるさいに、相手とのコミュニケーションにおいて大きな壁をつくってしまうことも忘れてはならない。

さて、初対面の相手に好印象を与えるポイントとは何であるか。

それは、「清潔感」、「こころの温かさ」、「相手への配慮」ではないかと思う。昔から、人はこころの在りようが姿に映し出されるといわれてきたように、黙っていてもその人の姿から、感じの良い人か否かを判断することも少なくない。つまり、相手がどのような人なのかを瞬時に見極めてしまう力を、人は持ち得ているのであろう。

ならば、清潔感のある身だしなみは当然の心得として、なるべく自分本位に走ることなく、また相手を慮る気持ちを忘れることなく、周囲に心地よい雰囲気を漂わせることができるように日頃からこころがけたいものである。

さて、この項目のタイトルに用いたのは、数多くある伝書の中でも、特に大切にしている教えである。

## 水は方円の器に随《したが》うこころなり

これは、水が器のかたちにかかわらず自然に存在することを例に、自己を主張せず、すべてに順応するように振る舞いながら、自分の本質を失わないこころを持つように、ということを示している。私はこの教えに触れるたび、フランスを代表する哲学者モンテーニュの、魂の偉大さは自分の場所にいながら境界線を守ることにあり、傑出したものよりも中庸を愛することで崇高さを示す、というエッセーの箇所を思い出す。

自己主張を抑え、相手のこころを察し、状況判断をしながら相手のこころに自分を合わせ、それによって自己の充実をも得るのは容易《たやす》いことではない。完璧な姿を目指さなければならないということではなく、日常生活の中で、自己を受け入れ、他を受け入れるゆとりをも持ち、向上心を忘れないように努めることが大切なのだと思う。

水のように振る舞うことのできる男性は、こころ穏やかな強い人なのである。

## 「迎小袖」――婿から嫁へのいたわり、こころ遣い

年配の男性と比べて、若い男性のほうが家事をする比率は増えている。しかし、今も昔も、家事を分担することが女性を大切にしていることに繫がるとは思えない。なぜなら、女性に対するこころ遣いは、あらゆるかたちで表現することができるからである。

たとえば、武士が中心だった時代において、男尊女卑は当然のことであった。だからといって、女性に対する配慮がなかったわけではない。そのことを物語る教えが、次の伝書の一文である。

嫁入りの夜　聟《むこ》の方より迎小袖《むかいこそで》とて小袖酒肴《しゅこう》を遣わすものなり

迎小袖とは、新郎の側で新婦のゆきたけにあわせて仕立てておく着物のことである。お嫁入りの夜に、新婦はこの着物を贈られた。

但し略儀のときはこころに任すべし。たとえ略儀にても迎小袖ばかりは遣わし候てよきなり

ともあり、お供の人々への贈り物は略することがあっても、新婦に対する迎小袖だけは用意するほうがよいと記されている。

なぜそのようなこころ遣いが必要かということが、別の伝書の箇所から読み取ることができる。

嫁入りは愡別死《そうべつしに》たる物のまねをするなり。輿《こし》も蔀《しとみ》よりよせ白物を着せて出すなり

つまり、嫁ぐさいは〝死装束〟の白物を着て、しかも死者の出棺のように輿を出したのである。二度と帰らぬ覚悟で、まだ会ったこともない男性のもとへ嫁ぐ、決死の思いが根底にある。

当時の新婦にしてみれば、どれほど心細かったであろう。その思いを少しでもいたわろうとする婿側のこころ遣いが、迎小袖に込められていたと考えられる。なんとも温かいこころ

遣いである。

現代の新婦にこうした覚悟があるかどうかは疑問ではあるものの、少なくとも新しい生活に不安を覚えることもあるだろう。

また現代のように「お嫁入り」という概念が減少し、男女平等という考えのもとに結婚するのなら、お互いが少しずつ歩み寄って新しい家庭を築いていく過程に、小袖のようなこころ遣いが互いに必要である。

しかし、そのようにして結婚生活が続けられていくうちに、相手を思う気持ちは変わらなくても、慮る気持ちが薄れてしまうことがある。それは、お互いに「許してくれるだろう」という甘えが、こころのどこかにあるからかもしれない。

仕事が忙しいと、家族と過ごす時間が少なくなる。こどもと一緒に過ごす時間を大切にしたいと思う時期、もっとも仕事が忙しいという方も多いのではないかと思う。

そうした状況は、武士にとっても同様、いや、現代以上に自分の時間を自由に取ることは難しく、それを望むことも少なかっただろう。夫が出陣していた間、家の一切は妻の手に委《ゆだ》ねられていたわけで、時には女性であっても家を守るために敵と戦い、懐剣《かいけん》で自分の命を絶つ状況もありうることだった。

ここまでくると現代生活とは大きくかけ離れてしまうが、専業主婦として家庭を守ってくれている妻、あるいは職に就きながら家庭を支えてくれる妻、さらにはこどもに対して、感謝の気持ちを忘れず、ときにはその思いを表現することも大切である。

それは、贈り物をすることや家事を手伝うことだけではない。前述のように「ありがとう」と感謝の思いを伝えることや、仕事で疲れていたとしても家族の話に誠意を持って耳を傾ける態度を示すことでもよいだろう。

そのさい、夫として、父として、無理に威厳を保とうとしてはならない。家族は、自然な姿を求めているはずである。

近しい人にこそ、迎小袖のエッセンスを活かし、緩みかけている和を結び直すきっかけをご自身からつくってみてはいかがだろうか。

# 第7章　男の格好

## 「格」とは木がまっすぐに高く立つこと

昨今、「品格」ということばを目にすることや耳にすることが多いが、それぞれの漢字に込められた意味は、次の通りである。

「品」は、人の口を三つあわせたかたちから成る。ゆえに多くの人が話す、あるいは口は器物をかたどることから物を示し、ひいては「人柄」をも意味する。一方「格」は、木と各(たかい意＝高)から成る。ゆえに木がまっすぐに高く立つことを示し、ひいては「地位、身分」「流儀、ものごとの仕方」「規則、法則」などの意味がある。

この品格が示す意味と、前章でご紹介した、人の第一印象は「身だしなみ」「基本動作」「ことば遣い」で決定するという、これら三つのポイントとを併せて考えてみたいと思う。


まず、品格には、身だしなみを整え、まっすぐに立つことが欠かせない。ここでいう「身だしなみ」「まっすぐに立つ」とは、清潔感のある服装で、姿勢を整えて立つことのみをいっているのではない。自分本位ではなく、清らかなこころで、さらに自分の理念に向かってまっすぐ、心持ちが高くあることを指す。

また状況に応じて、相手を問わず、誰に対してもわかりやすく美しいことばで話をすることも望ましい。もちろん、ことば遣いに関しても、相手を軽んじ、自分のことばかりを引きたてようとする思いが存在していては、まっすぐに立つことはできないはずである。このようなことが少しでも実現できると、周囲から「品格がある」といわれる人に近づくのではないだろうか。

さらに、相手の行動や発言から、品格がある、あるいは品格がない、という印象を持ってしまうことがある。相手の表情からさえも品格についてあれこれと感じてしまうのは、その人のこころ持ちが表情に表れてしまっているからなのだろうと思う。この表情については、のちほど触れてみたい。

さて、品格と並んでもう一つ大事だと思っていることが、「気品」。気品は、気位の意味もある。品性を保とうとする気持ちが、気品であり、気位なのだ。

つまり、気品がなければ、品格も存在しない。品格は意識さえすれば身につけられるというものではないが、品格のある人は日々の行動に対して、誇りを持っているのではないかと思う。

その誇りとは、相手を上から見下すような安っぽいものではない。公私にかかわらず、自分は周囲から後ろ指を指されるような偽りがあったり、自己中心的な生き方をしていない、ということに対する誇りである。

そう考えると、品格は生まれながらに備えているとは限らない。こころがけのいかんによっては、増やすこと、減らすこと、どちらも可能なのである。だからこそ、自己中心的な発想や立ち居振る舞いは品格に欠けることを、肝に銘じておかなければならない。

さらに、品格は「志」ともいえよう。たとえ仕事で成功をおさめたとしても、それに驕っていては品格が損なわれる一方である。その後も自分の人生とどう向き合い、何をすべきかを常に自己に問いかけ、その志に向かって前進する。

ときにそれが失敗したとしても、また自分の志に向かって歩み続けるのである。ゆえに「志」には、強い精神力が必要とされる。つまり、こころに「覚悟」が備わっているのだ。

ちなみに、次の項では、この「武士の覚悟」に焦点を当てて考えたいと思う。

このように「志」を持ち続けるには、自分のこころに正直なだけではなく、ときには厳しく自己と向き合うことも重要である。その姿勢は、現代の男性にも欠かさないでいただきたい。「品格のある人」と呼ばれる、素敵な男性となるために……。

## 「覚悟と名誉」――死に動じない強い精神

「武士道というは死ぬことと見つけたり」は、現代では極端な表現だとは思うが、武士は武士道を身につけるために、毎朝毎夕、命を捨てた思いで修行を重ね、奉公に尽くしたのであった。

日本において、鎌倉時代から発達した武士特有の道徳「武士道」は、江戸時代になると儒教の教えと結びついていく。奉公は、「お家」という運命共同体で生活していた武士たちが、「お家」の繁栄長久を願うがゆえの生き方であったといえよう。

また、封建制度の下で生きていた武士にとって、上下の身分をわきまえ、その枠組みを命がけで守ることが、孫の代まで生き延びていく道だったのである。だからこそ、組織における自分の立場をわきまえながら、相手と一定の距離を保ち、人間関係を円滑にするために、礼儀作法が必要とされたのではないかと思う。

「仁」や「義」については第1章でも触れたが、儒教においての最高の道徳は、「仁」「義」「礼」「知」「信」であり、孔子のいうところの「君臣」「父子」「夫婦」「兄弟」「朋友」の関係については、小笠原流の伝書でも触れられている。ただし、序章でも触れたように、それによって礼法の根源を哲学的、宗教的につきつめた理念におこうとしていたのではなく、ありがたい教えとして大まかに肯定し、その権威を礼法のうえに借りていたように推測される。

さらに武士道は、孟子などの影響も受けて武士のこころに定着していくのである。

さて、当時の武士は、使命感や理念、目標に向かって、決定的な瞬間には自分の身を案ずるのではなく、身を処する覚悟があったからこそ、「世」と「死」の二元相対するなかにおいて、「死」に動じることのない強い精神を持っていたのであろう。前述の通り、行動の覚悟は、こうした強いこころの覚悟が備わっていてこそ身につくことであり、その覚悟があるからこそ志を持つことができるのである。

さらに、武士の中でも、若い人々が追求すべきことと考えられたのは、自分の生き方に対する「名誉」である。多くの富を手にすることでも、豊かな知識を得ることでもない、この名誉に対する思いには、潔さを感じる。

命の尊さは、今も昔も変わることはないが、現代においては「名誉」に対する思いが希薄になっていることは確かである。私は女性であるが、どのような窮地に追い込まれても、名誉だけは失いたくないと思っている。

覚悟を持って名誉を重んじる男性が一人でも多く存在する社会になることを、願わずにはいられない。

## 「身だしなみ」――足し算ではなく、引き算のおしゃれ

最近はさまざまな男性誌で中高年齢層向けのおしゃれも提案されており、こうした年齢の人が装いに興味を持つことは良いと思う。ただし、雑誌に提案されているそのままの装いを取り入れて満足してしまうことには、いささか疑問を感じる。

もちろん、第１章でも述べたように、装いにもマニュアルを応用するのは必要なことである。しかしながら、それぞれの体型、髪型、眼の色、全体の雰囲気など、人の外観こそ十人十色であるのだから、マニュアルを応用して自分流のおしゃれを見つけ出すことが必要なのではないだろうか。

たとえば、身近におしゃれの手本となる人がいる場合、まずはどこか一か所、真似てみるのもいいだろう。ただし、最終的にはそのおしゃれは自分の身体の一部のように自然であることが必須ではないかと思う。

さて、身だしなみに関することが伝書に説かれているのだが、私が大切にしている心得は

次の一文である。

人の衣装の色々すべて若き人もとしの程よりすこしくすみて出立たれ候がよく候よし申し伝え候。人の若くと出立ち候は似合わず候なり

現代の洋服の色選びにも通じる心得であると思うのだが、昔も無理に若々しく装うのではなく、年配の人も若い人も、少々落ち着いた色合いを用いるのがよいとされていた。慎みのなかに美しさを求める装いは、着飾って自己を満足させるものではなく、むしろ相手のこころにあわせて身だしなみをこころがけていた、日本人の伝統的なこころ遣いを読み取ることができる。

また、

御小袖引き合わせの事。御襟にこころをとめ候はねばいかに美しき襟つきにても見苦しきものなり。御襟の合わせめ水ばしりにいとやわらかに御召し候え

という心得は、江戸時代、お姫様に向けてかかれた伝書の一説なのだが、男性にも通ずる教えであり、現代の洋装にも十分、活かすことができると思う。なぜなら、襟の合わせ目は水が走るように自然であるようにという身だしなみの心得は、ワイシャツの襟回りが自分のサイズと合っているか、ネクタイが曲がっていないか、などに通じるからである。

さて、曽祖父である小笠原長幹は、花柳界では通人でならしたらしく、当時のエピソードを先代から聞いたことがある。

その頃、東京の芝にあった紅葉館（明治十四年に開業し、鹿鳴館と並び称された会員制の名士の交流の場。東京大空襲で焼失）で働いていた女性が、曽祖父がいつも同じ縞《しま》の羽織を着ていたことに疑問を持ち、目立たぬようにその羽織に糸でしるしをつけたらしい。すると、曽祖父が紅葉館を訪れるたびに同じものを着ていたと思っていた羽織が、常に異なるものを着ていたことがわかり、驚いたという。そこには微妙な縞の幅の違いなど、目立たない中でもおしゃれの楽しみがあったのだ。

現代ならば、自分の雰囲気にピッタリと合うスーツのデザイン、ストライプの幅や色合いを見つけ出し、いくつかのバリエーションの中から、さりげないおしゃれを楽しむのは素敵なことだと思う。男女によらず、服に着られてしまうことほど、格好悪い装いはない。それに加え、身だしなみには「清潔感」が欠かせないのはいうまでもないことである。

ところで、日本には古来「ケの日」と「ハレの日」という考え方がある。「ケ」とは、日常の仕事をする日のことであり、働くための着物を着ていることが習慣だった。

これに対して「ハレの日」は、農耕中心の年中行事、誕生や成人、さらには結婚や逝去までの人生儀礼にあたる特別な日のことである。このような日には禊《みそぎ》をして心身を清めて、白衣を着ていた。このハレの日に着る白衣こそが、神事や行事の祭着や祝着、訪問や見物などのための装《よそおい》着《ぎ》と呼ばれる晴《はれ》衣《ぎ》だった。現代では、晴衣を晴れ着と書くのが一般的になっている。

また、

**ただ男は若きも老いたるも白帷子《しろかたびら》似合い候**

という伝書の教えは、是非、現代の男性方にも取り入れていただきたい。この前文には、派手な染めのものや金、銀の箔《はく》をあしらった豪華なものは、女性やこども、若い衆のものであって、一人前の男性が着るものではない、と説いている。

男性がもっとも似合う帷子《かたびら》（夏の薄物）は白いものであり、それは質実剛健を重んじた武家社会の規範でもあった。

白い着物にまつわるエピソードではないのだが、先代の姉にあたる祖母が亡くなった夜、病院にかけつけた先代が着ていたのは、白のスーツ、白のワイシャツ、白のネクタイ、白の靴……とすべてが白一色であった。幼いながら、人が亡くなった夜になぜ白の装いをするのかと疑問を持ったものの、その理由は見当もつかなかった。その日以降、そのような装いを目にすることもなかったので、しばらくの間は白スーツの謎に疑問を持つ機会がなかった。

その理由を知ったのは大人になってからなのだが、再び先代の白スーツ姿を目にしたときに思わず、「人が亡くなったところへなぜ、白のスーツを着て行くのですか」と問いかけると、その理由を丁寧に説明してくれた。

話が少々脱線するのだが、昔は白が喪服だった時代があり、格の高い色でもあったという。現代でも、喪服として白の着物を着る地域が残っているらしい。

その理由は、白が清浄を表し、神事や婚礼などにも白の衣服を着るように、着衣の色として最も格の高い色、という考えがあるからだ。白は万物のはじまりとも考えられ、出産にも用いられてきた。つまり、慶弔を問わず、礼装には白が用いられた時代があった。

こうしたことから、先代は、亡くなって間もないときに黒の喪服では遺族の目に強く映ってしまい、自分の装いのために悲しみを増してしまっては失礼である、しかしながら気持ちは故人を偲《しの》んでいるという気持ちを込めて白の装いを選んだ、と語った。

とはいえ、白の喪服を用いると常識に欠けた人と誤解される恐れがあるため、一般的には白の喪服をお勧めすることは難しい。

また平安時代には、灰色のような鈍色《にびいろ》が、喪の色として喪服に用いられていた。喪のかかっていない人が、親類のように喪服を着ることはなかったのだが、その頃には「心喪の服」という服装があった。これは、「自分は親類ではないが、こころの中は喪に服している」という気持ちの表現で、鈍色の上に薄物の青色の着物を重ねて、弔問に訪れたという。何とも、さりげないこころ遣いの表れである。

話を白帷子に戻すが、武士は、鮮やかな色や凝ったデザインで自分の姿を引き立たせることを求めなかったのはなぜか。それは、自分の生きざまが自身の姿に映し出されることで十分であるという自信があったからこそ、「ただ男は若きも老いたるも白帷子似合い候」の考え方が成立したのだと思う。つまり、白の着物は、武士の偽りのない清いこころに対する自信の表れなのである。

白いスーツとまでいかなくとも、現代ならば白いシャツをさりげなく、品格を保ちながらおしゃれに着こなす男性は、年齢を問わず女性の目にも素敵な姿に映る。足し算ではなく、引き算のおしゃれを、現代の男性にも実行していただきたい。

## 「目はこころの鏡」――自分の表情をチェックする習慣をつける

上下の人間関係に気を配ること。武士にとって、それは生死に関わる問題でもあった。伝書には主人との関係にまつわる、さまざまな記述が見られるのだが、こうしたことにも通ずる外見についての逸話をご紹介しよう。

江戸時代の武士で『葉隠』の口述者である山本常朝《やまもとじょうちょう》は、十三歳の頃から一年ほど引きこもっていた。なぜならば、一門の人々が彼の顔つきに対して、利口そうな顔をしているがやがて失敗するに違いなく、殿様も利口ぶった人を嫌っている、といったからである。

それから彼は、鏡を見てその顔つきを直そうと努め、なんと一年後には、周囲の人々が彼を見て、衰弱しているのではないかと思うほどにまで、自分の印象を変えたのである。その人々の反応に、彼はこれで奉公人の基礎ができたと思ったというのだが、こうしたことを十代で考え、実行したことにも驚かされるとともに、「常住死身《じようじゆしにみ》」、いつでも死ぬ覚悟が必要だと語った常朝らしさをも感じる。


現代において、周囲から「疲れている人」と見られるまでの印象の変化が、社会人に必要かどうかは別として、自分の印象をどのように変えると周囲からの信頼度を増すことができるのかと考え、そこに自らを近づけていこうと努力をした山本常朝のこころがけに、学ぶところは多い。

また彼のいう、「風体の修業は不断《ふだん》鏡を見て直しなるがよし」は、表情の訓練にも欠かせない。孟子の「目はこころの鏡」という教えにもあるように、目の表情によって印象が変わってしまうのは確かである。

たとえば、冷たい笑顔というのは、口元は笑っていても、目が笑っていないときに与える印象である。そこで、読者の皆様にも鏡でご自身の笑顔を確認していただきたい。口元が笑っているかどうかということは、口角が上がっているか否かで判断できる。

当たり前のことに思えるが、やさしい笑顔をつくることは、実は容易でない。こころにゆとりがなく、悩みごとがあると、自分では気づかぬうちに眉間《みけん》に皺《しわ》が入り、朝から険しい表情になっていることがあるかもしれない。だからこそ、鏡で自分の顔の表情を日々確認するのは、大切なことである。

ところで、自分の表情を毎日チェックすることは、顔色や、やつれ具合などによる体調の変化に気づくチャンスもできるので、健康管理にも繋がる。一般的に、男性は女性と比べて一日に鏡を見る回数が圧倒的に少ないというが、身だしなみを整える点からも、是非男性の方にも鏡に親しんでいただきたい。

さて、初めて対面する方が素敵な表情をされていると、それだけでこころが和むことがある。それは、人のこころと表情が結びついているからではないだろうか。「目はこころの窓」、自分の表情によって、相手のこころを開かせるきっかけとなる。

周囲から信頼を持たれる表情、明るくやさしい表情を持つことは、周囲との円滑な人間関係をさらに深めることに繋がるはずである。それには、まず、こころを磨くことも必要なのではないだろうか。

年齢を問わず、男性にも素敵な表情を身につけていただきたい。

## 「無心」――自分の欲にかたよらず、こころを磨く

日常生活の中で、すべての行動に相手へのこころ遣いを持ち合わせるのは難しいこともあるだろう。特に仕事で忙しいときに、周囲が自分のペースに合わせて仕事を進めてくれないといらだったり、プライベートにおいても、普段ならばゆとりを持って聞くことのできる家族や友人の話を、しっかりと受け止められないことがあるかもしれない。

こちらがいらだてば、相手も不快感を覚え、ますます状況がこじれたり、ぎくしゃくした空気が充満して、全体のムードが悪くなってしまう。そうなってしまうと、その空気から脱して安らいだ空間をつくることが容易ではなくなる。

そこで改めて考えたいのが、序章でも触れたように、礼法を身につける目的とは何か、ということだ。それは究極のところ、こころを錬磨することともいえよう。

こころが平穏で落ち着き研ぎ澄まされている人と出会ったとき、自分の本質を見抜かれてしまうように思うことがある。自分の言動に後ろめたさがある人にとっては、相手のこころの落ち着きが脅威に感じられることもあるのではないかと思う。

その一例として、以前、私の祖母のお寺に強盗が入り、祖母がその強盗犯から包丁を突きつけられたときのことを思い出す。

普通、強盗に凶器を突きつけられた場合、恐怖感で一杯になり、パニック状態になっても不思議ではないと思うのだが、祖母はまったく動じることなく、強盗犯を諭して、翌朝まで話をしたという。この事件は当時マスコミにも報道され、その強盗がお詫びに訪れたという後日談もある。

祖母に対する、幼い頃の私の印象は「厳しい人」であった。その理由は前述の通り、滋賀県から上京する祖母に会うさいには、こどもとおとなの区別がなく厳しく躾けられたことなどに対して、どこか納得できなかった思いが存在していたからである。

祖母が亡くなり、私自身を思っての厳しい躾であったことに気がつくまでにはしばらくの時間を要した。だが、誰に対するよりも自分自身に対して一番厳しかった祖母の姿勢を理解してからは、反抗心が尊敬の念へと変化した。

その祖母が晩年、私にたびたび話してくれたことは、「無心」である。

人のこころが何かに囚われることなく無心になることは最も難しく、少しでも自分のこころを無心に近づける努力をすることが大切なのだと祖母は教えてくれた。自分の欲にかたよることなく、バランスのとれたこころを持つことが、こころを磨くことにも通じるとも話してくれた。そのようにこころがけたいと思っていても、容易く真似のできることではないのだが、こころを鍛える努力はいつの時代であっても、この世に生を受けたからには忘れてはならないことではないだろうか。

たとえば、ときに予期することのできない天災に遭遇し、それに対してまったくなす術《すべ》がないこともある。また、日常生活の中で他者から受けることばの暴力に傷つき、悲しむこともあるだろう。

そのための自己防衛としても、傷つけられた相手を非難するばかりではなく、まず己のこころを錬磨することが大切だと思う。

礼法においては、相手が誰であっても、どのような立場の人であっても、悲しいときに、嬉しいときに、ともに泣き、喜ぶ気持ちが重要だと考える。

さらにその相手に対する思いは控えめでなくてはならず、ゆえに相手によっては、自分が受けている、やさしいこころ遣いからなる自然で慎み深い振る舞いに気づかない人もいるだろう。

だが、それでよい。

なぜなら、こころ遣いは見返りを期待しない気持ちから発していることが前提なのである。だが現実的には、まったく見返りを求めずに相手を思う気持ちを持つことが難しいのも事実である。

こころが錬磨され、作法に対する知識と行動が日々の訓練によって身に付き始めると、状況に応じた適切な判断と、それに伴う自然な振る舞いができるようになる。それには、ゆるぎのない強い信念が、こころに備わっていることが必要である。こうした信念や前述の覚悟が備わった、内面に秘められた強い精神力が、人の優雅さや品格をつくりあげるのだと思う。

仕事に関しても、高いこころざしと信念を持っていることが重要である。信念は、堅固に守る自分の考えである。職場でトップの立場になったとき、多くの人は信念を持つだろう。そのさい、自分の信念と、それぞれの社員が持つ信念とが、同化しなければならない、と考えることには驕りを感じる。

同じ信念の人ばかりが集まれば、ぶつかりあうことは少ないかもしれないが、それを強要したのでは、ワンマン経営者、独裁者と呼ばれる存在になってしまう。それぞれの社員の信念は異なれども、社員全体が会社の理念に向かって進むことこそが重要なのである。

封建制度においては、仕える武士が自分の命までも無条件に君主にあずけてしまったために、君主の意思ばかりが尊重され、絶対主義へと向かってしまった。しかし、封建制が専制とは異なったのは、第1章でもご紹介した「仁」、すなわち、「武士の情け」とも呼ばれる、他者をいつくしみ、思いやるこころが君主に備わっていたことにあると思う。つまり、「仁」が備わっておらず、自分の考えばかりを貫き通そうとする人は、古来、人を治める立場になることは難しかったといえる。

雑念を払い、無の境地に達することは難しい。だが、命の灯火が消えるまで、こころを錬磨する努力を怠ってはいけないと思う。

それが、現代にまで生き続ける武士の心得、すなわち男の礼儀作法の基本である。

## あとがき

本書を書くにつれ、礼法の本質に改めて向き合うことができたように思う。

荒ぶれ、個性の強かった武士たちにとって、他者と関わり合いながら秩序の中で生きていくには、社会においてどのように行動することが好ましいのかという基準、すなわちルールが必要となったわけである。

さらに、鎌倉から京都に幕府が移り、公家の文化に恥じることのない武家特有の文化を作り上げたいという思惑も、礼法が確立されていく背景にあったであろう。

「西洋人が日本座敷を見てその簡素なのに驚き、唯灰色の壁があるばかりで何の装飾もないと云ふ風に感じるのは、彼等としてはいかさま尤もであるけれども、それは陰翳《いんえい》の謎を解しないからである」。

これは、『陰翳礼讃』（谷崎潤一郎著）からの抜粋である。庇《ひさし》、縁側、障子を透《すか》して入り込むわびしくてはかない光線が、壁に沁み込むように砂壁を塗るのだと、谷崎氏はいう。

また、一幅の軸を掛けることにより、軸の地紙、書かれている墨の色、表具の裂《きれ》がもっている古色が、床の間の陰翳とあいまって、奥ゆかしい「面」をかたちづくる調和についても触れている。礼法が確立された頃、地味をよしとしたのは、このような、床の間の掛け軸を「点」ではなく「面」として愛し、控えめな調和の美を重んじていた思考があったからに違いない。

また、本書でもたびたび触れてきた「間」であるが、こころに「間」を持ち、控えめななかにも強さとやさしさを兼ね備えた精神力を育み、潔い決断力から成る武士の姿は、決して見た目は派手ではなくとも、人をひきつける力を持っていたはずである。

さて、序章でもご紹介している小笠原長時は、天文十九年（一五五〇）七月、武田信玄に攻められ、長野県松本市にあった林城を追われたのだが、そのさいに大切に育てていた白牡丹を敵兵に踏み荒らされることを憂え、祈願寺であった里山辺兎川寺のご住職に株を託して去った。

その株を絶やしてしまうことがないようにと兎川寺から檀家総代の久根下家に株分けがされ、さらに昭和三十二年十一月、長野県の松本城本丸へ移されたのである（のちに松本城と呼ばれる深志城は、林城の前面を固めるために造られ、天正十年（一五八二）に小笠原貞慶が、本能寺の変による動乱の虚に乗じて深志城を回復し、名を松本城と改めた）。

この白牡丹は、「小笠原牡丹」とも呼ばれている。今年五月、時期は少々早かったのだが、幸いにして数輪の小笠原牡丹を兎川寺で愛《め》でることができた。ちなみに、牡丹の花ことばは「王者の風格」、「高貴」、「富貴」などである。

控えめでありながら、潔く強い精神が具わっているからこそ、風格はつくられるものであり、現代の男性方にもその点についての意識を高めていただきたいと思う。

小笠原流に伝わる古文書を基に、男性の方へ向けての拙著を刊行したいという長きにわたる思いを、光文社新書編集長の森岡純一様、草薙麻友子様、出版プロデューサーの久本勢津子様、その他関係者の皆様のお力添えにより実現できたことに深く感謝を申し上げる。

読者の皆様が「男の礼儀作法」を、「かたち」のみならず「こころ」から身につけられ、さらには内面から輝かれることを願ってやまない。

平成二十二年九月吉日

小笠原敬承斎

小笠原敬承斎（おがさわらけいしょうさい）
東京都に生まれる。小笠原忠統前宗家（小笠原惣領家第32世・1996年没）の実姉・小笠原日英尼公の真孫。聖心女子学院卒業後、イギリスに留学。副宗家を経て、1996年に小笠原流礼法宗家に就任。700年の伝統を誇る小笠原流礼法初の女性宗家となり、注目を集める。門下の指導にあたるとともに、各地での講演や研修、執筆活動を通じて、現代生活に応じた礼法の普及に努めている。著書には『美しいふるまい』（淡交社）、『イラストでわかる礼儀作法基本テキスト』（日本能率協会マネジメントセンター）、『美人の〈和〉しぐさ』（PHP出版）、『誰からも好かれる社会人のマナー』（講談社）などがある。

誰《だれ》も教《おし》えてくれない　男《おとこ》の礼儀作法《れいぎさほう》

2010年10月20日初版1刷発行

著　者 ―― 小笠原敬承斎
発行者 ―― 古谷俊勝
装　幀 ―― アラン・チャン
印刷所 ―― 堀内印刷
製本所 ―― 榎本製本
発行所 ―― 株式会社光文社
東京都文京区音羽1-16-6（〒112-8011）
http://www.kobunsha.com/
電　話 ―― 編集部03（5395）8289　書籍販売部03（5395）8113
業務部03（5395）8125
メール ―― sinsyo@kobunsha.com


ISBN 978-4-334-03587-7

## 光文社新書

**040 「極み」のホテル 至福の時間に浸る** 富田昭次

「超高層」「リゾート」「バー」「寛ぎ」など、キーワード別の国内の贅沢、113軒リスト付き。ホテルジャーナリストの第一人者が厳選する「ベスト・オブ・ベスト」のホテル。

**095 「極み」の日本旅館 いま、どこに泊まるべきか** 柏井壽

部屋で選ぶか、はたまた食事か温泉か……。日本全国の旅館を泊まり歩いてきた著者だけが知っている、心の底から寛げる宿とは？ 厳選38軒をデータ付きで公開。

**146 東京のホテル** 富田昭次

高級外資系ホテルの進出で一気に注目度を増す東京のホテル。「ホテルでどう暮らすか」から「住まうホテル」まで、豊富な取材からホテルでの全く新しい時と場所の使い方を知る。

**260 なぜかいい町 一泊旅行** 池内紀

見知らぬ町の朝は、いいものだ——。ひとり旅の名手である池内紀が、独自の嗅覚で訪ね歩いた、日本各地の誇り高き、十六の小さな町の記憶。

**373 ひとつとなりの山** 池内紀

人気の山の「ひとつとなり」に佇む、静かな山々の味わい。標高がなくてもいい。頂上ばかりを目指さない——。山好きで知られる著者が、のんびりと出かけた、ひとり登山の20の山の記憶。

**392 おひとりホテルの愉しみ** 富田昭次

スパ、温泉、バー、食事、絶景、読書、快眠から何もしない贅沢まで。一人でホテル!?——そんな人でも必ずハマる、進化したホテルの楽しみ方。新しいライフスタイルを提案する。

**438 神社霊場 ルーツをめぐる** 武澤秀一

古代日本人の信仰の対象は、豪華絢爛な社殿や伽藍ではなく、山、川、巨樹、奇岩など自然界の森羅万象だった。本書は、日本人の信仰心の原点をもとめ、神社霊場をめぐる旅に誘う。